KB116540

행복한 여행

행복한 여행

지은이 오태현
펴낸이 임상진
펴낸곳 (주)넥서스

초판 2쇄 발행 2012년 7월 30일

2판 1쇄 인쇄 2017년 11월 1일
2판 1쇄 발행 2017년 11월 10일

출판신고 1992년 4월 3일 제311-2002-2호
10880 경기도 파주시 지목로 5(신촌동)
Tel (02)330-5500 Fax (02)330-5555
ISBN 979-11-6165-156-9 03230

저자와 출판사의 허락 없이 내용의 일부를 인용하거나
발췌하는 것을 금합니다.

저자와의 협의에 따라서 인지는 붙이지 않습니다.

가격은 뒤표지에 있습니다.
잘못 만들어진 책은 구입처에서 바꾸어 드립니다.

www.nexusbook.com
넥서스CROSS는 (주)넥서스의 기독 브랜드입니다.

하나님을 만나는
10주간의 일대일 양육 프로그램

행복한 여행

오태현 지음

넥서스CROSS

관계의 벽을 넘어서

세상에는 많은 벽이 있습니다. 이웃집 담장으로부터 시작해서, 이스라엘, 팔레스타인 사이의 분리장벽과 같이 나라와 나라를 가르는 거대한 장벽에 이르기까지 크고 작은 장벽들이 온 세상에 널리 존재하고 있습니다. 이런 외부적인 벽 말고, 우리 안에도 많은 벽들이 존재합니다. 마음의 벽, 관계의 벽, 마땅히 벽이 허물어져야 하는 교회 안에도 여전히 넘기 힘든 벽들은 존재합니다. 많은 사람들이 평안과 구원이 있는 안식처를 찾고 있지만, 또 많은 사람들, 우리들이 만들어 놓은 마음의 벽 때문에 교회 안에 정착하지 못하고 다시금 교회 밖으로 발길을 돌립니다. 우리는 서로 좋아하고 편안하고 편리해서 끼리끼리 손을 잡습니다. 이것이 우리에게는 평화와 안식 그리고 보호의 울타리일 수도 있습니다. 그러나 그 안에 있지 못한 다른 사람들에게는 높디높은 배타의 장벽이 되고 맙니다. 이 장벽이 교회 안에서는 제일 깨기 힘들다는, 누군가 깨려고 하다가는 오히려 자기가 깨진다는 바로 그 벽입니다. 과연 이런 벽을 넘어 모두가 함께 마음을 나눌 수 있는 방법은 없을까요?

2010년은 제게 기적 같은 해였습니다. 청년 담당 목사로 사역하면서 350명으로 시작해 1년 만에 1,300명의 청년들이 모여 예배하는 기적과 같은 부흥을 경험했기 때문입니다. 잊지 못할 경험이었습니다. 특히 이 과정에서 교회 안의 장벽을 효과적으로 허물 수 있는 '일대일 양육과 소그룹 정착 시스템'을 고안하게 된 것이 제게는 큰 재산이 되었습니다.

일대일 양육 소그룹 정착은 한 자매의 죽음으로부터 시작되었습니다. 교회에 등록도 하지 않고 청년 예배만 출석하던 한 자매가 가정의 채무 때문에 비관하다가 결혼을 한 달 앞두고 안타까운 선택을 했습니다. 가족들이 모두 신앙이 없었지만 장례를 부탁하셔서 마음이 무거운 장례를 치러야 했습니다. 화장터에서, 그 흔한 교회 친구도 하나 없이, 찬송가 소리도 없이, 화구에 들어가는 초라한 관을 보며 얼마나 마음이 아팠는지 쏟아지는 눈물을 참을 수가 없었습니다. 그때 다짐한 것이 하나 있습니다. '다시는 우리 예배에 오는 사람을 이렇게 외롭게 떠나보내지는 말아야겠다.'라고 말입니다.

그 주간 리더들을 소집했습니다. 우리의 목표는 단 한 사람도 외로운 마음을 갖고 교회 문을 나서지 않는 것이었습니다. 그 이후로 우리는 예배당 문을 다 열어 놓고 손을 잡아 주고, 안아 주면서 웃음으로 청년들을 맞이했습니다. 이름을 외울 때까지 묻고, 새 얼굴이 보이면 만사를 제쳐 놓고 달려가 인사를 했습니다. 예배가 끝나면 제일 먼저 나가, 돌아가는 청년들을 붙잡아 새 가족실로 보냈습니다. "내가 좋은 친구를 하나 소개해 주겠다"며 말입니다.

새 가족이나, 교회에 잘 적응하지 못하는 소외된 사람이 있으면 새 가족 교육 대신 한 명의 훈련된 친구를 붙여 주었습니다. 이 훈련된 양육자가 몇 주간 개인적으로 만나서 섬겨 주도록 했습니다. 단둘이 성경공부를 하고 또, 식사를 함께하거나 차를 함께 마시는 일, 교회를 둘러보거나 사역자들을 소개해 주는 등의 과제를 수행하도록 했습니다. 그들은 평일에도 만나고 주일에도 만났습니다. 주일에는 자기 소그룹에 함께 데리고 들어가 사람들을 소개시켜 주고 그 안에서 섬겨 주었습니다. 그러다 보니 새 가족들이 자연스럽게 소그룹에 정착하게 되었습니다.

1년이라는 짧은 기간에 기적적인 청년 부흥을 경험하고 자리를 옮겨 성인 교육과 큐티, 제자 훈련을 담당하게 되었습니다. 여러 평신도 양육자들과 함께 열심히 양육을 했고, 제가 맡은 교구에서는 리더들과 함께 일대일 양육을 하면서, 양육생들의 소그룹 정착에 힘을 썼습니다.

장년들의 소그룹도 건강하게 성장했습니다. 소그룹이 성장하면 소그룹 안에 양육자 하나를 리더로 세워 새로운 소그룹을 만들었는데, 이미 양육을 통해 끈끈한 관계가 형성되어 있는 그룹이기 때문에 그룹이 나뉘어도, 소그룹이 나뉠 때 생기는 문제들이 적었습니다. 1~2년 사이에도 많이 나뉜 그룹은 네다섯 개 그룹으로 나뉘었습니다. 그런 소그룹들은 일 년에 몇 번씩 함께 모여서 식사나 여행을 하면서 소그룹과 대그룹의 약점을 보완하는 중그룹으로 성장했습니다.

이런 과정을 통해 책이 한 권이 만들어졌습니다. '행복한 여행', 이 프로그램은, 한 소그룹 안에서 양육과 교제와 정착, 성장을 목적으로 합니다. 처음에는 안내자를 통해 섬김을 받으며 소그룹에 적응을 하게 되고, 나중에는 자신도 안내자가 되어 양육하면서 신앙의 깊이를 더해 갑니다. 이 양육을 통해 좋은 신앙인들이 만들어지고 좋은 신앙인들이 모인 모임은 더 건강한 모임이 됩니다. 결국 우리의 최대 숙제인, 교회 안의 벽, 마음과 관계의 벽을 넘어 좋은 관계들이 만들어집니다.

'행복한 여행' 프로그램은 도시의 대형 교회에만 적절한 프로그램은 아닙니다. 어려운 문제를 안고 있던 시골의 작은 교회로 목회지를 옮겨 일대일 양육을 적용해 보니 시골 교회나 작은 교회에도 좋은 프로그램임을 알게 되었습니다. 쌓여 있던 마음의 벽들이 무너지고 오래된 관계의 앙금들이 해소되는 좋은 결과를 얻게 되었고, 난관에 처해 있던 교회는 어려움을 벗어나 건강하게 성장하는 교회가 되었습니다.

예수님은 하나님과 우리와의 벽, 그리고 우리와 우리 이웃 사이의 벽을 허무셨습니다. 그래서 하나님의 구원으로 나가는 길에는 벽이 없어야 합니다. 하지만, 우리의 교회에는 너무나 높은 관계의 장벽들이 존재합니다. 그 관계의 벽에 작은 문을 열면 비난과 오해와 무관심이라는 마음의 벽들이 점차 사라지게 됩니다.

우리에게는 이미 많은 양육들과 훈련들이 있습니다. 훌륭한 프로그램도 많습니다. 그럼에도 불구하고 이 작은 책이 누군가의 마음과 관계를 잇는 좋은 실마리가 되었으면 좋겠습니다.

이 교재를 사용하시는 동역자 여러분! 여러분의 교회에서도 마음의 벽, 관계의 장벽들이 무너지는 일들이 많이 일어나게 되기를 축복합니다.

하늘빛교회 담임목사 오태현

차례

행복한
여행

HappyTrip

01

첫 번째 만남

반갑습니다

첫 번째 만남
반갑습니다

"반갑습니다!" 우리는 오늘부터 '행복한 여행'을 함께 시작합니다. 오늘은 그리스도 안에서 우리가 서로의 참 모습을 알고, 기도해 주며 돕기 위해 서로를 소개하는 날입니다. 《행복한 여행》이 좋은 양육의 시간이 되도록 서로 진실하게 자신을 소개합시다.

1. 안내자 소개

성 명				직 분		
생년월일		교구, 구역 목장, 속회				
가족관계	이 름		관 계	이 름		관 계

2. 여행자 소개

성 명				직 분		
생년월일		교구, 구역 목장, 속회				
가족관계	이 름		관 계	이 름		관 계

3. 대화와 공감

아래의 질문에 여행자와 안내자가 함께 대답하고 이야기를 나눠 보세요.

질문1 현재 어떤 일을 하고 있으며 무엇에 관심을 갖고 있나요?

_____

_____

질문2 살아오면서 가장 행복했던 일은 무엇이고, 그렇게 행복했던 이유는 무엇입니까?

_____

_____

질문3 지난 시절 가장 괴로웠던 일은 무엇이며, 왜 그렇게 괴로웠을까요?

_____

_____

질문4 예수님을 영접하셨다면 언제 어떻게 영접했는지 들려주세요.

_____

_____

질문5 아직 예수님을 영접하지 않았다면 그 이유는 무엇인가요?

_____

_____

질문6 행복한 여행을 함께하며 기대하는 것이 있다면 말씀해 주세요.

_____

_____

질문7 가장 바라는 것이 있다면(기도 제목) 무엇입니까?

_____

_____

4. 《행복한 여행》 안내

《행복한 여행》은 구원의 확신을 갖고 신앙의 삶을 살아가도록 도와주는 일대일 양육 프로그램입니다. 안내자와 여행자가 함께 여행을 떠나듯 가볍고 즐거운 마음으로 시작하지만, 10주 동안의 나눔과 교제를 통해 하나님 안에서 참된 자기 자신을 찾게 되고 하나님께서 기뻐하시는 좋은 신앙인으로 성장하고 있는 자신을 발견하게 될 것입니다.

5. 말씀 묵상 방법

《행복한 여행》이 좋은 여행이 되려면 말씀을 묵상하고 적용하는 것이 생활화 되어야 합니다. 말씀을 통해서 우리는 하나님의 뜻을 알게 되고 하나님 뜻대로 사는 즐거움을 배울 수 있기 때문입니다. 말씀을 묵상하는 방법은 여러 가지가 있지만, 《행복한 여행》을 하는 동안에는 아래와 같이 간단한 순서로 말씀을 묵상하도록 합니다.

(1)찬양으로 묵상을 시작합니다.
(2)성경 본문을 천천히 여러 번 읽습니다.
(3)성경 본문의 내용을 파악합니다.
(4)성경 본문의 의미를 해석합니다.
(5)성경 본문이 나에게는 어떤 의미인지 생각합니다.
(6)오늘 깨닫게 하신 대로 결단합니다.
(7)기도로 큐티를 마칩니다.

*가능하면 묵상집을 사용하고 묵상 노트를 준비하여 (3)~(7)까지 모든 내용을 기록합니다.

6. 여행 수칙

함께 양육하는 동안 이것만은 꼭! 지켜 주세요.

★ 지난 주 여행기를 채워 주세요.

- 매주 요절을 외우세요. 말씀을 외우다 보면 하나님의 말씀이 수시로 생각나게 되고 순간순간 많은 위로를 받게 됩니다.

- 각 과에 참고로 기록된 성경구절은 모두 옆의 노트에 손으로 써 주세요. 하나님의 말씀을 손으로 기록하다 보면 양육의 내용이 더욱 잘 이해됩니다.

- 교재의 질문에 미리 답을 써 주세요. 내용을 예습하면 만남에 더 큰 감동이 있습니다.

- 매일 말씀을 묵상하세요. 말씀을 묵상하는 습관을 들이는 것이 《행복한 여행》의 중요한 목표 중 하나입니다. 말씀 안에 삶의 해답이 들어 있기 때문입니다.

- 매주 설교를 필기하면서 듣고 깨달은 내용을 적어 주세요. 하나님께서는 항상 설교자들을 통해 우리에게 필요한 말씀들을 주시기 때문입니다.

★ 이 양육을 위해 기도해 주세요.

- 만남을 위해 기도하세요. 안내자를 위해 기도해 주시고 《행복한 여행》이 중단되지 않고 끝까지 진행될 수 있도록 기도해 주세요.

- 기대하는 마음으로 다음 시간에 주실 하나님의 은혜를 위해 기도하세요.

- 양육의 과정을 통해 하나님께서 하실 일을 기대하며 마음에 소망을 품으세요. 하나님께서 일하실 것입니다.

"하나님이 (세상)을 이처럼 사랑하사 독생자를 주셨으니 이는 그를 믿는 (자마다) 멸망하지 않고 영생을 얻게 하려 하심이라" 요 3:16

위 말씀의 (   ) 안에 자신의 이름을 넣어 읽어 보고, 서로를 위해 함께 기도합시다.

02

두 번째 만남

행복한 삶으로
가는 길

행복한 여행 일지							
요절 암송	성경 쓰기와 예습						
요 3:16							
말씀 묵상	주일	월	화	수	목	금	토

설교 노트

두 번째 만남
행복한 삶으로 가는 길

사람은 누구나 행복한 인생을 꿈꾸며 살아갑니다. 그러나 모든 사람이 행복한 인생을 누리며 사는 것은 아닙니다. 동화에 나오는 주인공처럼 "그 후로 오랫동안 행복하게" 살고 싶지만 우리 앞에 놓인 현실은 종종 우리를 불행하게 합니다. 뜬구름 잡듯 행복을 꿈꾸는 이들은 자신의 망상이 깨지는 순간 허무한 인생을 발견하게 됩니다. 성실하게 계획하고 한 걸음씩 꿈을 향해 다가가던 사람이라 해서 모두 성공하는 것은 아닙니다. 또한 자기가 그려 놓은 목표에 다다랐다고 해서 참으로 행복해지는 것도 아닙니다. 그러면 행복한 삶이란 없는 것일까요?

정말 다행인 것은 지금 함께 '일대일 양육 행복한 여행'을 시작하는 우리는 행복한 삶으로 가는 여행을 출발했다는 사실입니다. 우리는 오늘 행복한 삶으로 가는 길을 향해 방향을 돌리게 될 것입니다.

다음 질문에 대답하며 '나는 얼마나 행복한 사람인가?' 생각해 봅시다.

질문1 지금 당신은 행복하십니까?

_____

_____

_____

질문2 당신의 행복한 인생을 위해 지금 가장 필요한 것은 무엇입니까?

_____

_____

_____

_____

구약성경 〈전도서〉는 인생의 행복에 대해 매우 부정적입니다. 〈전도서〉에 기록된 말씀에 의하면 사람이 모든 부와 명예를 누리고 많은 자녀와 장수를 얻는다 해도 행복을 보장받지는 못합니다. 그것이 모두 헛되어 우리에게 만족을 주지 못하기 때문입니다(전 6:1~12). 우리는 그런 모습들을 많이 봐 왔습니다. 엄청난 부를 쌓은 기업가들이나 사람들의 칭송을 받는 유명인의 삶이 불행한 결말을 맺는 일은 참으로 많습니다. 그러나 가만히 생각해 보면 그러한 불행은 특별한 몇몇 사람들에게만 일어나는 일이 아닙니다. 우리의 일상적이고 평범한 삶 속에서도 뿌리 깊이 자리 잡고 있는 불행을 발견할 수 있습니다. 도대체 우리에게는 무엇이 필요할까요? 무엇을 채워야 우리의 인생은 행복할 수 있을까요? 오늘 우리는 이 질문에 대한 해답을 성경말씀 속에서 함께 찾아보겠습니다.

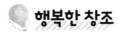
행복한 창조

질문3 하나님께서 사람에게 만들어 주신 환경은 어떠했습니까?(창 2:8~14)

_____

_____

_____

_____

_____

_____

_____

_____

_____

질문4 태초의 아담이 가장 좋아했던 선물은 무엇이었나요?(창 2:18, 20~23)

_____

_____

_____

_____

_____

_____

_____

_____

_____

_____

_____

_____

질문5 하나님께서는 사람을 어떤 모습으로 만드셨습니까? 또한 창조와 동시에 사람

에게 주신 것은 무엇입니까?(창 1 : 27~28)

_____

_____

_____

_____

_____

_____

_____

_____

_____

질문6 하나님께서 사람을 손수 빚으신 후 사람에게 넣어 주신 것은 무엇이며, "생령이 되었다"는 의미는 무엇입니까?(창 2:7)

하나님이 처음 사람을 만드셨을 때 사람은 참 행복했습니다. 사람에게 복을 주셨기 때문입니다. 하나님은 우리를 창조하실 때, 모든 것이 풍족한 환경을 만들어 주셨습니다. 뿐만 아니라 함께 행복을 누릴 배필까지도 창조해 주셨습니다. 우리에게 필요한 먹고 마실 것을 비롯해 마음껏 누릴 자연환경과 가족까지 준비하셨습니다. 어떤 이들은 그런 좋은 환경 때문에 에덴동산을 낙원으로 생각합니다. 그러나 태초의 에덴동산이 천국과 같은 낙원이었던 이유가 좋은 환경 때문만은 아니었습니다. 하나님께서 우리를 당신의 형상대로 만드셨다는 것은 바꾸어 말하면 우리 안에 하나님의 형상(Imago Dei, 이마고 데이, Image of God)이 담겨져 있다는 말입니다. 이 말은 우리가 하나님을 닮은 하나님의 자녀임을 암시해 줍니다. 게다가 하나님께서는 하나님을 닮은 우리에게 당신의 생기를 불어넣어 주십니다. 이 생기(Neshamah, 네샤마: 영, 영혼, 바람, 호흡)는 영혼 혹은 영(靈)을 뜻하는 단어로, 하나님께서 사람에게 당신의 생기를 불어넣으셨다는 것은 사람이 영적인 존재임을 나타내는 것입니다. 우리는 영적인 존재로 하나님과 소통할 수 있도록 창조되었습니다.

처음 에덴동산이 천국과 같았던 이유는 우리가 온전한 하나님의 형상을 닮은 자녀라는 사실 때문이었으며, 하나님과 우리의 소통에 아무런 장애가 없었기 때문입니다. 따라서 진정한 행복의 이유가 환경에 있는 것은 아니었습니다. 오히려 하나님과의 관계에 우리의 행복이 있었다고 말하는 것이 더 확실합니다.

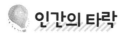 **인간의 타락**

질문7 하나님과 사람의 행복한 관계가 깨진 이유는 무엇입니까?(창 3:6; 약 1:14~15;

롬 1:21~23)

질문8 행복해지기 위해 가장 먼저 해야 할 일은 무엇입니까?(신 6:3~5)

하나님과 우리 사이의 관계가 깨진 이유는 우리의 욕심 때문이었습니다. 우리는 '먹음직스럽고' '볼만하고' '탐스러운 것'을 외면하기가 어렵습니다. 육체의 욕망과 인정의 욕구와 자아 성취의 야망은 때로 우리의 삶에 잘못된 결단을 부르는 이유가 됩니다. 우리의 육체를 만족시키는 것이 모두 잘못된 것은 아니며, 명예를 얻고 성취를 하는 것이 다 죄는 아닙니다. 하지만 욕심이 지나쳐 하나님을 외면하고 자신에게 허락되지 않은 것을 얻으려고 한다면 그것은 바로 '죄'입니다. 이 죄가 하나님과 사람의 행복한 관계를 깨뜨리는 원인이 되고 말았습니다. '죄'라는 말은 성경에 히브리어인 '핫타아(ha;F;j)'와 희랍어인 '하마르티아(aJmartiva)'로 기록되어 있습니다. 두 단어는 모두 '과녁을 벗어나다'라는 본래의 의미를 갖고 있습니다. 화살이나 총알이 과녁을 벗어났다면 그것은 쏜 사람의 의도와는 다르게 목적을 벗어난 것입니다. 이처럼 원래의 목적을 벗어난 것이 바로 '죄'입니다. 하나님께서는 우리를 당신의 자녀로 삼으시고 당신을 바라보며 살도록 창조하셨는데, 우리가 우리의 욕심만을 추구하기 시작한 순간 우리는 과녁을 벗어나 죄의 길로 빠지게 된 것입니다.

우리 삶에는 우선순위가 있습니다. 그것은 하나님을 사랑하는 것입니다. 그러나 우리가 하나님을 사랑하지 않고 다른 것을 사랑한다면 그것은 우리에게 우상이 되고 맙니다. 심지어 하나님을 알고 사랑한다고 하면서도 더 중요한 것이 있다면 그것은 우상이 됩니다. 그런 우상들은 우리 삶의 우선순위를 깨뜨려 하나님과의 관계를 멀어지게 합니다. 결국 우리 삶의 잘못된 우선순위로부터 '과녁을 벗어난 일(죄)'이 시작됩니다. 그러므로 인생의 타락은 하나님보다 더 사랑한 그 무엇으로부터 시작되었습니다. 하나님과의 관계를 깨뜨린 것이 우리의 가장 큰 교만이며 가장 큰 죄악입니다. 하나님과의 올바른 관계가 바로 우리 인생의 창조 목적이기 때문입니다.

🎈 불행한 삶

질문9 하나님과의 관계가 깨진 결과로 사람이 얻게 된 것은 무엇입니까?(창 3:10, 16~19, 24)

_____

_____

_____

_____

_____

_____

질문10 하나님과의 관계가 깨진 사람들은 어떻게 되었습니까?(롬 1:28~32)

_____

_____

_____

_____

_____

_____

_____

_____

_____

_____

하나님과의 관계가 깨진 결과는 매우 참담합니다. 세상의 모든 고통이 우리에게 들어왔고 우리는 고단한 인생을 살게 되었습니다. 게다가 하나님과의 소통을 잃은 우리는 그저 한 줌의 흙으로 돌아갈 수밖에 없는 존재로 전락해버렸습니다. 무엇보다도 가장 슬픈 일은 우리에게 행복을 주시는 좋으신 하나님을 두려워하게 되어 수풀 속에 숨게 되었다는 사실입니다. 어쩌면 그래서 우리에게 신앙이 없을 때, 그토록 하나님을 외면했었는지도 모르겠습니다. 죄는 하나님과 우리 사이를 점점 더 멀어지게 했고, 우리는 그야말로 죄를 짓지 않을 능력을 잃어버리게 되었습니다. 우리 인생의 불행을 한 마디로 표현하자면 '두려움'이라고 말할 수 있습니다. 두려움이 없는 사람은 불행할 일도 없습니다. 우리 인생의 모든 문제는 두려움에서부터 출발한다고 해도 과언이 아닙니다. 그런데 이 두려움은 바로 우리 인생이 유한하다는 데서부터 출발합니다. 우리가 만일 영화에 나오는 초자연적인 영웅들이나 신화에 나오는 신적인 존재들과 같다면 우리 인생에 두려움은 없을 것입니다. 그러나 우리는 흙에서 와서 흙으로 돌아가야만 하는 유한한 존재들입니다. 죽음, 멸망, 그 유한함으로부터 우리 인생의 불행은 시작되었습니다.

사람들은 물질이나 쾌락, 권력, 명예, 자기 수양 등으로 자신의 유한함을 극복하려 합니다. 그러나 이런 것들을 통해 인생이 완전해지지 않으며 그런 것들이 우리에게 행복을 가져다주지 못합니다. 오히려 그런 것들 때문에 자신을 학대하기도 하고 다른 사람을 자기 행복의 도구로 사용하기도 하는 오류에 빠지는 경우도 많습니다. 그러면서 스스로 그것이 옳다고 굳게 믿습니다. 그러나 위에서 함께 나눈 〈로마서〉 말씀처럼 그 일들은 결국 우리를 멸망으로 인도할 뿐입니다. 우리 인생의 고통은 죄로부터 왔습니다. 죄악 가운데 빠진 인생에 더 이상 행복은 없습니다. 게다가 우리 인생을 행복하게 할 방법이 우리 스스로에게는 없다는 것이 우리에게 가장 큰 불행입니다. 우리는 고통과 두려움 가운데 목적지를 알 수 없는 여행을 떠난 사람들처럼 살아가고 있습니다. 우리에게는 정말 아무런 방법이 없는 것일까요? 이대로 불행한 채 고통을 당하며 영원한 심판으로 갈 수밖에 없는 것일까요? 다시 생명을 되찾고 행복해 질 수 있는 방법은 무엇일까요?

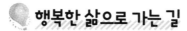 행복한 삶으로 가는 길

질문11 우리 자신과 가정이 구원을 얻는 길은 무엇입니까?(행16:29~32)

_____

_____

_____

_____

_____

질문12 죄를 지어 타락하고 불행하게 된 우리가 의롭게 되는 유일한 길은 무엇입니까?(롬3:23~26)

_____

_____

_____

_____

_____

_____

질문 13 하나님께서는 왜 우리를 의롭다고 인정해 주시고 구원해 주셨습니까?(롬 5:8)

_____

_____

_____

질문 14 십자가를 지신 예수님을 통해 우리가 얻은 것은 무엇입니까?(사 53:4~6)

_____

_____

_____

_____

_____

_____

_____

_____

_____

　　성경은 우리에게 행복해지는 비결을 가르쳐 줍니다. 우리가 하나님으로부터 떠나 스스로 죄악 가운데 빠져 도저히 회복할 수 없도록 불행해졌지만 하나님께서 한 길, 즉 예수 그리스도의 십자가 은혜를 통하여 구원받는 길을 열어 주셨습니다. 우리가 그리스도이신 예수님을 구원자이자 우리 인생의 주님으로 믿고 받아들이는 순간, 우리는 영원한 행복을 되찾는 새로운 길에 들어서게 되는 것입니다. 하나님께서는 우리가 예수님을 구주로 믿고 인정하면, 우리의 어떠한 죄악에도 불구하고 우리를 의롭다고 인정해 주십니다. 이것을 칭의(稱義)라고 합니다. 칭의(稱義)는 우리의 행위나 업적에 상관없이 하나님의 은혜로운 선물입니다. 우리가 도저히 어쩔 수 없는 죄인이 되었을 때, 예수님께서 십자가를 지시고 우리의 죄를 대신 짊어지셨습니다. 그 결과 우리는 모든 죄에서 깨끗하게 되었고, 예수님께서 사망에서 부활하신 것처럼 예수님을 믿는 우리에게도 모든 죄의 결과인 사망, 육체적 고통과 정신적 고통, 영적인 고통에서 해방되는 길이 열리게 되었습니다.

행복한 여정의 시작

대문호 빅토르 위고는 유명한 소설 《레미제라블》에서 "인생에 있어서 최고의 행복은 우리가 사랑받고 있다는 확신이다."라고 말합니다. 스스로 불행의 길로 들어선 우리를 위해 아무 죄 없이 십자가를 지신 그 사랑을 생각하면 우리는 참으로 행복한 사람이 아닐 수 없습니다. 하나님의 크신 사랑으로부터 우리의 처음 창조가 시작되었다면 또한 하나님의 그 사랑으로부터 우리의 두 번째 거듭남도 시작됩니다. 처음 하나님의 사랑으로 창조된 이들이 행복한 사람들이었다면 하나님의 사랑으로 죄에서 거듭난 우리는 더욱 행복한 사람들입니다. 오늘 우리가 함께 공부한 이 사실을 듣고 믿게 되었다면 당신의 행복한 인생을 향한 여정이 시작되었음에 틀림없습니다.

"   너는 행복한 사람이로다 여호와의

구원을   같이 얻은 백성이 누구냐 그는

                    를 돕는 방패시요   영광

의 칼이시로다   대적이

게 복종하리니   가 그들의 높은 곳을 밟으리

로다."

신 33:29

위 말씀의   안에 자신의 이름을 넣어 읽어 봅시다. 오늘 만남을 통해
깨닫게 된 것을 이야기 나누고, 행복한 인생을 위해 함께 기도합시다.

03

세 번째 만남

우리의
구원자 주님

행복한 여행 일지								
요절 암송	성경 쓰기와 예습							
신 33:29								
말씀 묵상	주일	월	화	수	목	금	토

설교 노트

세 번째 만남
우리의 구원자 주님

오늘 우리는 우리의 구원자이신 예수 그리스도에 대해 공부하려고 합니다. 마음을 열고 하나님께서 오늘 우리에게 주실 깨달음을 기대하며 함께 기도합시다.

아래의 질문에 대답해 보세요.

질문1 당신이 알고 있는 예수 그리스도는 어떤 분이십니까? 아는 대로 대답해 보세요.

_____

_____

질문2 예수님께서 당신에게 주신 선물은 무엇입니까?

_____

_____

지난 시간 우리는 예수 그리스도를 믿음으로 행복하게 되는 길에 대해 함께 생각해 보았습니다. 우리가 예수님을 우리의 구원자와 주님으로 믿으면 예수님의 십자가 공로로 우리의 모든 죄악이 용서받는다는 것과 하나님께서 우리를 의롭다고 인정해 주신다는 사실(칭의,稱義)에 대해 알게 되었습니다. 그렇다면 이토록 놀라운 선물을 우리에게 가져다주신 예수 그리스도는 어떤 분일까요?

성경은 우리에게 "믿음은 들음에서 나며 들음은 그리스도의 말씀으로부터(롬 10:17)"라고 우리에게 가르쳐 주십니다. 우리가 말씀 속에 드러난 예수 그리스도를 듣고 앎으로써, 우리는 오늘 더욱 신실한 믿음을 얻어, 구원받은 행복한 삶에 한걸음 더 다가가게 될 것입니다.

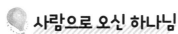 **사람으로 오신 하나님**

질문3 예수님은 어떤 점에서 하나님이신가요?(요 8:42, 10:30)

_____

_____

_____

_____

_____

_____

질문4 예수님은 어떤 점에서 사람이십니까?(롬 1:3, 8:3; 눅 4:2)

_____

_____

_____

_____

_____

_____

_____

_____

질문5 사람이신 그리스도께서 우리와 다른 점은 무엇입니까?(히 4:15)

_____

_____

_____

_____

_____

질문6 그리스도께서 이 땅에 오신 이유는 무엇입니까?(히 2:14~17; 막 10:45; 고후 8:9; 요 1:12~13)

질문7 예수 그리스도는 어떤 분입니까?(고전 15:3, 20; 계 22:20)

_____

_____

_____

_____

_____

_____

_____

_____

_____

예수님은 우리의 죄를 대속하시기 위해 이 땅에 오신 하나님의 아들이십니다. 그리스도는 본래 하나님의 영광스러운 본체시요, 말씀이셨습니다(빌 2:6; 요 1:14). 예수님은 하나님과 하나이셨습니다. 그러나 죄악에 빠진 인생들을 구원하시기 위해 사람의 몸을 입고 이 땅에 내려오셔서 모든 시험과 고통을 받으셨습니다. 그런 면에서 예수님은 완전한 하나님이시며 동시에 완전한 인간이십니다. 신비하게도 전능하신 하나님께서 우리와 똑같이 유한한 사람이 되신 것입니다. 그래서 성경은 "그리스도는 하나님의 비밀(골 1:27)"이라고 말씀하십니다. 예수님께서는 사람의 역사 가운데 다윗의 계보를 따라 사람처럼 나셨고, 우리가 겪는 모든 불편함과 고통, 시련과 유혹을 당하셨습니다. 그러나 예수님은 죄가 없으셨습니다. 만일 예수님께서 죄가 있으셨다면 자신의 죄 때문에 돌아가셨을 것이지만 죄가 없으셨기에 우리의 모든 죄를 십자가에서 담당하실 수 있었습니다.

예수님께서 우리와 같이 되셨다는 것은 우리를 완전히 이해하신다는 뜻입니다. 우리는 간혹 하나님은 신이시기에 우리의 문제와 고통을 이해하지 못하실 것이라고 생각합니다. 그러나 위의 〈히브리서〉 말씀에 기록된 것처럼 우리의 구원자이신 주님은 우리와 같은 사람이 되셨기에 우리를 이해하시고 도우시는 분이십니다. 예수님께서 베들레헴 마구간의 말구유에 가난한 사람으로 이 땅에 오셨다는 것은 우리가 상상할 수조차 없는 고통스러운 일이었을 것입니다. 조금 누리며 살다가 그 누리던 것을 잃어도 괴로운 법인데, 모든 것의 주인이신 하나님께서 지극히 낮고 가난한 마구간의 아기로 이 땅에 오셨다는 것은 우리를 위해 모든 것을 버리신 하나님의 사랑을 단적으로 보여 주는 사건입니다. 우리는 이 사건을 '성육신(Incarnation)'이라고 부릅니다. 말씀이신 하나님께서 육체가 되셨다는 뜻입니다. 이 땅에 오신 예수님은 십자가에서 고난당하시고 우리의 죄를 대신하여 죽으심으로 우리의 모든 죄를 사하셨습니다. 그뿐만 아니라 사흘 만에 무덤에서 살아나심으로써 부활의 첫 열매가 되셨습니다. 주님의 부활은 예수님을 믿는 모든 이들에게 부활의 소망을 주신 기독교 신앙의 가장 중요한 핵심입니다. 우리는 주님께서 죽음에서 부활하셔서 하늘에 오르신 것처럼 주님께서 다시 오실 때, 우리도 부활하여 하나님 나라에서 영원히 살 것을 믿습니다.

예수 그리스도께서 이 땅에 오셔서 우리에게 주신 가장 큰 선물은 하나님 나라입니다. 예수님은 하나님 나라를 우리에게 가져오신 분입니다. 예수님께서 사역을 시작하실 때 처음 선포하신 것도 하나님 나라며, 줄곧 제자들에게 가르치신 것도 하나님 나라입니다. 예수님께서는 우리가 하나님 나라를 얻기 바라셨고 하나님 나라의 삶을 살기 원하셨습니다. 그렇다면 주님이 우리에게 주신 가장 큰 선물인 '하나님 나라'는 과연 어떤 나라일까요?

 ## 하나님 나라와 그리스도가 다스리는 삶

질문8 하나님 나라는 언제, 어디에서 시작됩니까?(마 4:17, 12:28; 눅 17:20~21)

질문9 하나님 나라는 어떤 사람들의 것입니까?(마 5:3, 13:44; 막 10:14; 요 3:5)

질문10 하나님 나라는 언제 완성됩니까?(살전 4:16~17)

_____

_____

_____

_____

_____

_____

하나님 나라는 이미 우리 안에 시작된 나라며 장차 주님께서 다시 오실 때 완성되는 나라입니다. 신약성경에서 하나님 나라는 '바실레이아 투 테우(hJ basileia tou qeou, 하나님 나라)' 혹은 '바실레이아 톤 우라논(hJ basileia twn oujranon, 하늘나라, 천국)'이라는 단어로 쓰입니다. 여기서 '바실레이아(hJ basileia)'라는 말이 '나라'라는 뜻인데 고대 사회에서 이 '나라'는 지금과는 조금 다른 뜻으로 사용되었습니다. 현대의 나라는 영토와 국민과 주권 세 요소로 구성된 국가를 의미하지만, 고대 사회의 나라는 '그 영토를 다스리는 이의 통치권이 미치는 곳'까지를 가리키는 말이었습니다. 그래서 이 '바실레이아(hJ basileia)'의 원래 의미는 '통치' 또는 '다스림'이라는 뜻입니다. 그런 의미에서 하나님 나라는 하나님께서 다스리시는 사람들 속에서 이미 시작된 나라입니다. 그러므로 그리스도께서 우리 삶의 주인이심을 인정하는 사람들이라면 이미 하나님 나라의 구성원이 되는 것입니다. 그러므로 '하나님 나라'는 세상 사람들이 생각하듯 우리가 죽은 후에 들어가는 곳만을 의미하는 말이 아닙니다. 하나님의 다스리심을 받아들이는 이들이 살아서도 누리고 죽은 후에도 누리며, 장차 예수님께서 다시 오실 때 새 하늘과 새 땅에서 영원히 누릴 나라가 바로 하나님 나라입니다. 하나님 나라는 우리가 살고 있는 세상의 나라가 아닌 '하나님께서 원하시는 삶의 방식'이기 때문입니다.

예수님께서는 우리에게 하나님 나라의 구성원들이 갖추어야 할 자격에 대해 가르쳐 주십니다. 하나님 나라는 심령이 가난한 사람들의 것이며, 천국을 발견하고 기뻐하며 돌아가 자기의 모든 것과 바꾸는 사람들의 것이며, 심지어 어린아이와 같은 사람들의 것이라고 말씀하십니다. 이 말씀은 하나님 나라는 세상의 가치관을 버리고 겸손히 예수님을 그리스도로 받아들이는 사람들, 천국을 발견하고 마치 세상에 더 이상 가치 있는 것은 없는 양 기뻐하는 사람들, 어린아이들처럼 순수한 그런 사람들이 천국의 주인공이라는 뜻입니다. 우리는 성경을 통해 하나님께서 원하시는 삶의 방식을 가치관으로 삼은 사람들이야말로 하나님 나라의 소유자가 된다는 사실을 알 수 있습니다.

천국에서 살기

어떤 사람은 '사는 게 지옥 같다'라고 느끼며 살기도 합니다. 세상의 가치관을 가지고 살아가는 사람은 많은 것을 손에 들고 살아도 만족함이 없어 지옥과 같은 마음으로 세상을 살기 때문입니다. 그러나 똑같은 땅에 발을 딛고 살아도 '사는 게 천국 같다'고 고백하는 사람이 있습니다. 자신의 소유에 상관없이 예수님 말씀대로 사는 것만으로 충분히 만족하며 사는 하나님의 자녀들이 바로 그들입니다.

예수님께서는 세상의 가치관을 가지고 살아가던 우리에게 찾아오셨습니다. 하늘의 하나님이셨지만 우리와 같은 사람의 몸으로 오셨기에 우리의 모든 사정과 형편을 이해하십니다. 전능하신 분께서 제한된 사람이 되셨다는 것은 상상할 수 없는 고통이지만, 우리 주님은 겸손히 사람이 되셨고, 우리에게 하나님 나라를 가르치셨으며, 십자가와 부활을 통해 천국에서 사는 길을 우리 앞에 활짝 열어 주셨습니다.

예수 그리스도께서 우리와 같은 사람이 되셔서 우리와 함께 사셨고, 우리를 위해 고통을 당하셨다는 사실은 참으로 놀라운 신비며 동시에 우리에게는 행복의 시작입니다. 순수하게 하나님 나라의 가치관을 가지고 예수님과 함께 동행하는 이들에게는 살든지 죽든지 언제나 천국을 누리는 은혜를 베풀어 주셨습니다. 오늘 우리가 예수님을 믿고 예수님과 동행하며 그분의 주권을 인정하면, 예수 그리스도는 우리를 다스리시고 우리의 삶은 주님의 주권 아래서 천국이 될 것입니다.

H a p p y ✢ T r i p

"볼지어다 내가 문 밖에 서서 두드리노니 [   ] 내

음성을 듣고 문을 열면 내가 [   ] 에게로 들어가

[   ] 와 더불어 먹고 [   ] 는 나와

더불어 먹으리라."

계 3:20

위 말씀의 [   ] 안에 자신의 이름을 넣어 읽어 봅시다. 오늘 만남을 통해
깨닫게 된 것을 이야기 나누고, 그리스도께서 다스리시는 삶을 살기 위해 함께
기도합시다.

45

04

네 번째 만남

가르치시고 인도하시는
성령님

행복한 여행 일지							
요절 암송	성경 쓰기와 예습						
계 3:20							
말씀 묵상	주일	월	화	수	목	금	토

설교 노트

가르치시고 인도하시는 성령님

우리는 지난 시간에 '하나님 나라' 즉, '그리스도가 다스리는 삶'에 대해 배웠습니다. 그리스도가 다스리시는 삶을 살아간다는 것은 곧 하나님 나라를 누리게 되었다는 것과 같은 의미입니다. 우리는 이 세상에 발을 딛고 살아도 천국의 삶을 사는 사람들입니다. 그러나 우리가 믿음을 가졌다 해도 현실은 그리 쉽게 천국으로 변하지 않습니다. 우리가 천국의 구성원이 되었다 해도 그리스도께서 다스리시는 삶을 온전히 살지 못하면 우리의 삶은 결국 예전의 삶과 별반 다를 것이 없습니다.

과연 하나님 나라의 구성원답게 살기 위해서는 어떻게 해야 할까요? 어떻게 하면 우리는 이 세상을 살면서도 천국과 같은 삶을 누리며 살 수 있을까요? 이 질문의 해답은 성령님께 있습니다. 우리의 삶을 거룩한 천국의 삶으로 이끄시는 성령 하나님을 오늘 함께 만나 봅시다.

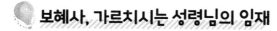

보혜사, 가르치시는 성령님의 임재

질문1 성령님은 어떤 분입니까?(요 14:16~17; 요일 5:6; 롬 8:26~27)

질문2 성령님께서 하시는 일은 무엇입니까?(요 14:26, 15:26, 16:13; 요일 2:27)

질문3 성령님은 어떤 사람에게 오십니까?(눅 11:13; 요 14:13~18; 행 1:4~5)

성령님은 진리의 영이자 진리이십니다. 하나님 아버지의 영이시며 그리스도께서 보내신 보혜사이십니다. '보혜사'라는 말은 '파라클레토스(paravklhto")'로 '변호인, 중보자'를 가리키는 말입니다. 고대 히브리인들은 법정에 설 때 자신을 변호해 주고 자신에게 유리한 증거가 될 만한 친구와 함께했는데 이런 친구를 가리켜 보혜사라고 했습니다. 날마다 우리를 죄악 가운데 넘어뜨리려고 참소하는 사단에게서 우리를 보호하시고 지키시는 분, 우리가 죄악과 고통에 빠져 스스로 헤어 나올 수 없을 때도 우리를 위해 애타게 탄식하며 중보하시는 분, 그분이 바로 우리의 보혜사이신 성령님이십니다.

성령님께서는 우리의 보혜사가 되실 뿐만 아니라 우리를 가르쳐 주시는 분이십니다. 성령님께서는 무엇보다 먼저 우리에게 예수 그리스도께서 우리의 구주이신 것과 주님이시라는 사실을 가르쳐 주십니다. 그러므로 성령을 받은 사람은 누구나 예수 그리스도를 자신의 구원자, 주님으로 받아들이고 인정하게 됩니다. 이렇게 성령을 받아 그리스도의 주권을 인정하게 되는 것에서부터 하나님 백성으로서의 삶은 시작됩니다. 그때부터 성령께서는 우리와 늘 함께하시며 천국 백성으로서 우리가 할 모든 일을 가르쳐 주십니다. 그런 의미에서 성령님은 우리의 마음에 새겨진 하나님 말씀(렘 31:33)이라고도 할 수 있습니다. 성령님께서 우리 안에 역사하시며 하나님의 법을 따라 사는 삶으로 우리를 이끄시기 때문입니다.

이렇게 성령께서 우리 안에 오시는 것을 '성령의 임재'라고 합니다. 성령님께서는 우리를 고아같이 버려두지 않으시고 우리에게 오십니다. 우리가 믿음으로 간구하며 기다릴 때 하나님께서는 반드시 우리에게 성령님을 보내 주십니다. 그러므로 아직 성령의 역사가 내게 나타나지 않았다 해서

걱정할 필요 없습니다. 악한 사람이라도 자기 자식에게는 좋은 것을 주는데 좋은 아버지이신 하나님께서 간구하며 기다리는 우리에게 성령을 보내지 않으실 리가 없기 때문입니다. 다만 예수님의 약속을 믿고 간구하며 기다려야 한다는 사실을 잊지 말아야 합니다. 예수님께서 부활하신 것을 목격한 사람은 오백여 명이었지만(고전 15:6) 마가의 다락방에서 성령을 받은 사람은 예수님의 약속을 믿고 열흘 동안 간절히 기도했던 백이십 명의 제자들뿐이었기 때문입니다.

 ## 성령님과 함께하는 믿음의 모험(성화와 완전)

질문4 성령님이 우리에게 오시면 우리는 어떤 일을 하게 될까요?(눅 4:18~19; 행 1:8)

_____

_____

_____

_____

_____

_____

_____

_____

질문 5 성령을 받은 사람들은 어떻게 변화될까요?(행 2:17 ; 갈 5:22~23 ; 엡 2:22)

질문6 하나님께서는 우리가 어떻게 되기를 원하십니까?(창17:1; 신18:13; 골1:28, 4:12; 히6:1)

성령님이 오시는 사건을 '기름부음'에 비유하는데, 이스라엘에서 기름을 붓는 일은 어떤 물건이나 사람을 거룩하게 구별할 때 하는 행위였습니다. 특히 사람에게 기름을 붓는 경우는 왕, 제사장, 선지자를 세우기 위한 것이었습니다. 사도 베드로가 성령을 받은 성도들을 향해 "왕 같은 제사장들"이라고 부르는 이유가 여기에 있습니다(벧전 2:9). 이것이 바로 성령을 받은 이들의 권능입니다. 하나님 앞에 왕처럼, 제사장처럼, 선지자처럼 세워져 하나님의 일을 하는 사람들로 변화되는 것입니다. 성령을 받은 사람들은 심판당할 죄인의 몸이 아닌 기름부음 받은 거룩한 증인들이 되어 '주의 은혜의 해'를 선포하는 사명을 감당하게 됩니다. 신분과 지위가 완전히 바뀌게 되는 것입니다. '주의 은혜의 해'는 구약의 '희년(lbe/Yh´ tn´v) 쉐나트 하요벨)'을 뜻합니다. '희년'이란 모든 것이 회복되는 때로, 종이 되었던 이들이 자기 집으로 되돌아가고 빼앗겼거나 잃었던 기업을 온전히 되찾는 거룩한 해입니다. 이전에 어떤 삶을 살았든 성령님께서 우리 안에 임재하시면 우리는 온 세상 모든 사람들에게 이 놀라운 회복을 선포하는 사람들이 됩니다.

이토록 놀라운 회복은 자기 자신 안에서부터 일어납니다. 꿈을 잃었던 노인들이 꿈을 되찾고, 청춘의 쾌락에 빠져 있던 젊은이들은 하나님 나라의 비전을 보게 됩니다. 모나고 굴곡 많던 우리의 삶에 사랑, 기쁨, 평화, 오래 참음, 인자함, 착함, 신실함, 겸손, 절제의 열매들이 열리게 됩니다. 속사람이 바뀌지 않고서는 겉으로 드러나는 지위가 아무리 변해도 참된 하나님 나라의 백성이 될 수 없기에 하나님께서는 우리를 통해 하나님의 일을 하시면서 동시에 우리도 변화시켜 가십니다. 우리의 몸과 영혼이 성령 하나님께서 거하시는 거룩한 성전으로 지어져 가는 것입니다.

칭의, 성화, 완전

우리가 예수 그리스도를 믿는 믿음으로 하나님의 의롭다 하시는 은혜를 입었다면(칭의, 稱義), 우리는 또한 성령님의 인도하심을 통해 거룩하게 구별되어 갑니다. 이것을 '성화(聖化)'라고 합니다. 성화는 하나님께서 우리를 통해 계획하신 그 목적에 맞게(엡 2:22) 우리가 변화되어 가는 과정을 의미합니다. 이 성화의 과정을 통해 우리는 하나님께서 계획하신 그 목적에 완벽하게 부합되는 삶을 살게 될 것인데, 그것을 우리는 '그리스도인의 완전'이라고 말합니다. 이것은 우리가 하나님처럼 완전해지는 것을 의미하는 것이 아니라, 하나님께서 원하시는 온전한 신앙의 삶, 그리스도께서 다스리시는 삶을 살게 되는 것을 의미합니다.

세상 가운데 사는 우리는 여전히 죄의 유혹에 노출되어 있기에 신앙의 거룩한 여정 중에라도 많은 시행착오를 거치게 됩니다. 그러나 성령께서 동행하셔서 우리의 보혜사가 되어 주시고 가르쳐 주시며 이끌어 주시는 한, 우리는 반드시 그리스도께서 다스리시는 온전한 천국의 삶을 살 수 있습니다. 그러므로 성령님의 임재와 충만함을 기대하며 기도해야 합니다. 그러면 예수님께서 약속하신 성령님께서 오순절 다락방에 모인 제자들에게 임하셨던 것처럼 당신에게도 몇 날이 못 되어 임하시고 당신의 삶을 그리스도께서 다스리시는 삶으로 이끌어 주실 것입니다.

"그러나   는 택하신 족속이요 왕 같은 제사장들이요 거룩한 나라요 그의 소유가 된 백성이니 이는   를 어두운 데서 불러내어 그의 기이한 빛에 들어가게 하신 이의 아름다운 덕을 선포하게 하려 하심이라."

벧전 2:9

위 말씀의   안에 자신의 이름을 넣어 읽어 봅시다. 오늘 만남을 통해 깨닫게 된 것을 서로 이야기 나누고 성령님의 임재와 충만함을 기대하며 함께 기도합시다.

05

다섯 번째 만남

전능하신 창조주
하나님 아버지

행복한 여행 일지							
요절 암송	성경 쓰기와 예습						
벧전 2:9							
말씀 묵상	주일	월	화	수	목	금	토

설교 노트

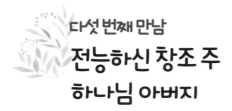

다섯 번째 만남
전능하신 창조 주
하나님 아버지

우리는 지난 시간 성자이신 예수 그리스도와 성령님에 대해 공부했습니다. 이번 만남에서는 성부 하나님에 대해 공부하겠습니다. 우리가 믿는 하나님은 '전능하사 천지를 만드신 하나님 아버지'(사도신경)입니다. 전능하시고 유일하신 창조주 하나님은 어떤 분인지 배우고 아버지이신 하나님의 사랑과 자녀가 된 성도들의 권세에 대해 함께 생각해 봅시다.

질문1 당신에게 '아버지'라는 말은 어떤 느낌을 줍니까?

_____

_____

_____

_____

질문2 하나님이 세상을 만드셨다는 것은 우리에게 어떤 의미가 있을까요?

_____

_____

🌰 세상을 만든 전지전능하신 하나님

질문3 하나님은 언제부터 어떻게 계셨습니까?(출 3:14; 시 90:2, 93:2)

_____

_____

_____

_____

_____

_____

_____

_____

_____

질문4 하나님께서는 무엇을 만드셨습니까?(시86:9, 90:4; 행17:24~25; 히3:4; 전3:11)

하나님께서는 스스로 계신 분이시며 영원(永遠)의 이전부터 계신 분이십니다. 그런 하나님께서 만물을 창조하셨습니다. 온 우주와 우주 안에 있는 만물들을 만드셨고 온 인류와 모든 생명체를 만드셨습니다. 공간과 사물들뿐만 아니라 시간과 모든 질서, 법칙까지도 하나님의 피조물입니다. 하나님께서는 창조주이시기에 당신이 만드신 어떤 공간이나 시간, 질서와 법칙에도 제약을 받지 않는 분입니다.

그렇기에 하늘이나 하늘들의 하늘이라도 주님을 다 담을 수 없으며(왕상 8:27), 하나님 앞에서는 천년이 하루와 같고 영원이라는 시간도 눈 깜빡할 사이와 같습니다(시 90:4). 하나님이 모든 것을 만드셨으므로 하나님께서는 모든 것을 알고 계십니다. 세상의 모든 지식과 지혜가 모두 하나님의 섭리에 미치지 못합니다(롬 11:33). 그래서 우리는 하나님을 "전지전능하시다."라고 고백합니다. 이 말은 하나님은 모든 것을 아시고 모든 것을 하실 수 있다는 뜻입니다.

하나님께서 전능하신 분이라는 것을 아는 일은 매우 중요합니다. 우리는 많은 한계를 지니고 있는 유한한 인생들이기 때문에 때로 실망하거나 낙심하곤 합니다.

그러나 하나님께서 전지전능하신 분이라는 것을 아는 이들은 무엇보다 하나님을 인정하고 그분을 의지합니다. 마치 자동차를 타고 달리면 내 다리가 가진 능력보다 더 빨리 달릴 수 있는 것과 같이 하나님을 의지하는 사람들은 자신의 한계를 뛰어넘는 놀라운 일들을 경험할 수 있습니다.

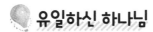 **유일하신 하나님**

질문5 하나님은 어떤 분입니까?(출3:14; 신6:4; 사37:16; 막12:29; 요17:3)

하나님은 무엇에 의해 창조된 피조물이 아니라 스스로 계신 분입니다. 또한 많은 신들 중 하나가 아니라 유일하신 참 하느님(神)이십니다. 기독교 신앙은 여러 신을 섬기는 다신교(多神教)가 아닙니다. 그렇다고 많은 신들 중 하나를 선택해 섬기는 단일신교(單一神教)도 아닙니다. 우리가 믿는 하나님은 성부 · 성자 · 성령 삼위일체 하나님이십니다. 삼위일체란 '하나님은 위격(位格)에 있어서는 아버지 · 아들 · 성령이시지만 본성(本性)에 있어서는 한 분이시다.'라는 교리며 이것은 하나님의 신비(神秘)입니다. 하나님께서는 아버지와 아들과 성령으로 우리에게 찾아오셨고, 우리는 하나님을 아버지와 아들과 성령으로 만나며 그 하나님이 한 분이심을 경험합니다. 그러하기에 우리는 오직 한 분이신(유일신, 唯一神) 하나님을 믿으며, 우리 인생의 주인은 하나님 한 분만으로 충분합니다.

 ## 사랑의 아버지와 세상이 감당 못할 자녀들

질문6 하나님께서 만드신 것은 모두 어떤 것들입니까?(창 1:31 ; 딤전 4:4)

_____

_____

_____

_____

_____

_____

_____

_____

_____

_____

질문7 하나님께서 우리에게 주신 것은 무엇일까요?(요 3:16; 요일 3:1~3, 4:10)

_____

_____

_____

_____

_____

_____

_____

_____

_____

_____

_____

질문8 하나님의 자녀들에게는 무엇이 있습니까?(창 1 : 28; 마 28 : 18~20; 요 1 : 12; 요
일 4 : 4)

_____

_____

_____

_____

_____

_____

_____

_____

처음에 하나님께서 만드신 모든 것은 참으로 좋았습니다. 하나님께서 무언가 만드실 때마다 "좋다."라고 말씀하십니다. 결국 온 세상을 다 만드신 후에는 "참 좋다."고 한 번 더 말씀하셨습니다. 하나님께서는 참 좋은 분이기에 또한 참 좋은 것들을 만드실 수 있었습니다. 이토록 좋으신 하나님께서 이 좋은 것들을 우리에게 맡겨 주셨습니다. 다시 말하면 우리에게 온 세상을 다스릴 권세를 주셨습니다. 〈창세기〉 1장 28절 말씀이 바로 하나님께서 우리에게 권세를 위임하시는 장면입니다. 그러나 우리가 하나님을 떠나 죄악에 빠지면서 우리는 우리에게 있었던 모든 권세를 빼앗기고 말았습니다. 우리는 더 이상 하나님의 자녀가 아닌 진노의 자녀(엡 2:3)가 되어 죄와 세상에 종노릇하게 되었습니다(롬 6:6; 갈 4:8). 그러나 하나님께서는 예수 그리스도의 십자가 희생과 부활의 영광을 통하여 믿는 이들에게 자녀의 권세를 되찾아 주십니다. 예수 그리스도를 믿는 믿음으로 하나님의 자녀가 된 것, 우리는 그 사실만으로 큰 권세를 가졌습니다.

〈마태복음〉 28장 18~20절에는 예수님께서 "하늘과 땅의 모든 권세"를 되찾으셔서 믿는 자들에게 다시 위임하시는 장면이 기록되어 있습니다. 우리가 예수 그리스도를 믿음으로 하나님의 자녀가 되었다면 이제 더 이상 죄와 세상에 종노릇하지 않게 되었습니다. 오히려 세상을 다스리며 예수님께서 다시 오시는 그날 예수님과 함께 세상을 심판할(마 19:28), 세상이 감당 못할 권세를 가진 하나님의 자녀가 된 것입니다. 그러므로 믿음의 자녀들은 어떠한 환경과 상황에도 결코 낙심하지 않으며 결국 하나님께서 주신 자녀의 권세로 세상을 이깁니다.

우리가 아버지에 대해 생각할 때 느끼는 감정은 사람마다 각각 다를 수 있습니다. 그러나 우리가 아버지에 대해 어떻게 생각하든지 '하나님 아버지'는 참으로 좋은 분입니다. 하나님께서는 우리를 사랑하셔서, 죄악에 빠져 당신을 저버린 우리를 위해, 친히 사람의 몸을 입고 십자가에 달리셨습니다. 우리가 하나님을 사랑한 것이 아니라 하나님께서 우리를 사랑하셔서 그 아들을 우리 대신 십자가에 달리게 하셨던 것입니다. 사도 요한은 우리에게 이렇게 말씀하십니다. "보라 아버지께서 어떠한 사랑을 우리에게 베푸사 하나님의 자녀라 일컬음을 받게 하셨는가!" 그토록 큰 사랑으로 우리를 자녀 삼으신 하나님은 참 좋은 우리의 아버지이십니다. 간혹 사람의 부모는 자기 자녀를 버릴 수 있습니다. 그러나 하나님께서는 결코 우리를 버리지 못하고 심지어 자기 희생을 통해 우리에게 영원한 생명을 주셨습니다 (시 27:10; 호 11:8; 사 49:15).

하나님의 자녀가 된 권세

우리 하나님은 전지전능하셔서 모든 것을 창조하신, 한 분이신 아버지입니다. 우리가 하나님의 자녀가 되었다는 것은 하나님 아버지께서 주신 그 생명의 능력이 우리 안에 있다는 말입니다. 비록 우리의 모습이 연약하고 부족해 보여도 우리 안에 계신 하나님의 능력은 위대하다는 사실을 잊지 말아야 합니다. 그래서 사도 바울은 이렇게 고백했습니다.

> "우리가 이 보배를 질그릇에 가졌으니 이는 심히 큰 능력은 하나님께 있고 우리에게 있지 아니함을 알게 하려 함이라 우리가 사방으로 우겨 쌈을 당하여도 싸이지 아니하며 답답한 일을 당하여도 낙심하지 아니하며 박해를 받아도 버린바 되지 아니하며 거꾸러뜨림을 당하여도 망하지 아니하고 우리가 항상 예수의 죽음을 몸에 짊어짐은 예수의 생명이 또한 우리 몸에 나타나게 하려 함이라(고후 4:7~10)"

만일 아직도 세상에 짓눌려 하나님 아닌 다른 무엇에 종노릇 하고 있다면 오늘 우리가 함께 배운 이 말씀들을 되새기며 하나님의 자녀가 된 권세를 다시 한 번 선포하고 오히려 내 환경과 상황을 다스릴 수 있는 담대한 믿음을 가져야 할 것입니다.

H a p p y ✚ T r i p

"영접하는 　　　　 곧 그 이름을 믿는 　　　　 에게는 하나님의 자녀가 되는 권세를 주셨으니 이는 혈통으로나 육정으로나 사람의 뜻으로 나지 아니하고 오직 하나님께로부터 난 　　　　 이니라."

요 1:12~13

위 말씀의 　　　　 안에 자신의 이름을 넣어 읽어 봅시다. 오늘 만남을 통해 깨닫게 된 것을 서로 이야기 나누고 하나님의 자녀가 된 권세를 선포하며 기도합시다.

06

여섯 번째 만남

사랑이 넘치는
예수님의 가족

행복한 여행 일지							
요절 암송	성경 쓰기와 예습						
요1:12~13							
말씀 묵상	주일	월	화	수	목	금	토

설교 노트

여섯 번째 만남
사랑이 넘치는
예수님의 가족

2천 년이 넘는 역사 가운데 교회는 세상으로부터 많은 오해와 도전을 받았습니다. 교회를 전혀 알지 못하는 사람들은 교회를 핍박했고, 교회를 조금 아는 사람들은 교회와 비슷한 공동체를 만들어 자신들의 사상이나 이익을 추구했습니다. 그래서 믿음의 사람들은 2천 년의 시간 동안 계속 교회를 설명해 왔습니다. 지금도 다르지 않습니다.

현대에도 수많은 사이비 종교와 교회를 배척하는 사람들이 존재합니다. 그렇다면 교회는 무엇일까요? 또 교회의 존재 가치는 무엇일까요? 또 교회는 어떤 일을 해야 할까요? 이번 만남에서는 교회에 대해 함께 배워 보겠습니다.

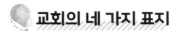 **교회의 네 가지 표지**

질문1 교회에 대해 어떻게 생각하십니까?

_____

_____

_____

질문2 교회와 사이비 종파는 어떻게 구별합니까?(엡 1:22~23; 레 19:2; 벧전 2:9)

_____

_____

_____

_____

_____

_____

_____

_____

_____

_____

_____

초대교회는 시간이 지남에 따라 점차 부흥했고, 많은 도전들을 받아야 했습니다. 어떤 이들은 교회를 나누려 했고, 어떤 사람들은 교회를 타락시키려 했습니다. 어떤 경우에는 사이비 종교들이 자신들도 교회라며 상식적으로 이해할 수 없는 일들을 저질렀습니다. 갑자기 하나님으로부터 직접 계시를 받았다며 전혀 교회와는 관련이 없는 사람들이 거짓된 교회를 세워 사람들을 유혹하고 속였습니다. 이 일은 비단 과거의 문제만은 아니며, 지금도 이런 시도들은 계속되고 있습니다. 셀 수 없이 많은 사이비 종교들이 교회의 이름으로 일어나고 있습니다. 교회는 교회의 정체성을 지키기 위해 수많은 노력을 했고, 여러 번 논의들을 거친 끝에 '하나의 교회, 거룩한 교회, 보편적인 교회, 사도적인 교회'라는 '교회의 네 가지 표지'를 확정했습니다(니케아신조, 주후 325년).

현대에는 많은 교파의 교회들이 있습니다. 또한 같은 교파 안에서도 형태나 성격이 전혀 다른 교회들이 존재합니다. 심지어 수많은 이단 종파들이 교회의 이름을 내걸고 자신들의 교리를 전하고 있습니다. 교회를 선택하는 일이 그만큼 어려워졌다는 말입니다. 교회를 선택해야 한다면, 무엇보다 먼저 '교회의 네 가지 표지'에 따라 교회를 판단해 보아야 합니다. 선택하려는 교회가 보편적으로 인정받은 교회인지, 예수님을 주님으로 섬기는 제자들의 공동체인지, 교회 활동이 건전하고 거룩한지, 예수님의 몸인 하나의 교회를 인정하고 교파를 초월하여 공인된 모든 교회를 지체와 형제로 인정하는지, 꼭 점검해 봐야 합니다. 만일 보편적으로 인정되지 않는 교단에 속해 있거나, 예수 그리스도 외에 다른 사람이나 다른 대상을 주님으로 섬긴다거나, 교회라고 하면서 세상적인 이익이나 쾌락을 추구한다거나, 자신들에게만 구원이 있고 다른 모든 교회는 타락했다고 한다면 그런 공동체는 사람의 영혼을 병들게 하는 이단, 사이비 종파라고 판단해도 좋습니다.

사랑이 넘치는 예수님의 가족

질문3 예수님은 하나님 나라의 구성원들을 어떻게 부르셨습니까?(마 12:49~50)

_____

_____

_____

_____

_____

_____

질문4 교회에 가장 필요한 것은 무엇입니까?(요 13:34~35; 벧전 4:8; 요일 4:12, 18, 21)

_____

_____

_____

_____

_____

_____

_____

어떤 이들은 믿음을 강조하고 어떤 이들은 비전을 중요시합니다. 믿음도 귀하고 소망도 귀합니다. 하지만 가장 귀한 것은 사랑입니다. 누군가에게 사랑을 전해 줄 수 있는 사람은 오직 하나님께 사랑받은 사람입니다. 내 안에 사랑이 흘러넘쳐야 비로소 사랑을 나눌 수 있기 때문입니다. 그런 사랑의 사람들이 모여 이룬 사랑이 넘치는 예수님의 가족이야말로 우리가 꿈꾸는 교회입니다. 예수님은 하나님 나라의 구성원을 백성이나 국민 또는 시민이라고 부르지 않으시고 형제와 자매로 부르셨습니다. 하나님 나라의 구성원들을 예수님의 가족으로 표현하셨습니다. 하나님 나라의 구성원이 예수님의 가족이라는 것은 공동체의 기본 정신이 가족애, 즉 사랑임을 의미합니다.

하나님 나라를 향해 걸어가는 우리들에게 가장 필요한 것은 사랑입니다. 교회는 사랑의 공동체일 때만 가치가 있습니다. 예수님의 사랑을 서로 나누며 세상에까지 흘려보내는 공동체야말로 참된 교회입니다. 하나님은 사랑이시기에 사랑이 없는 교회는 머물지 않으십니다. 하나님의 사랑을 잃어버린 교회는 모두 큰 죄와 증오를 안고 역사 속으로 사라져버렸습니다. 십자군 전쟁을 일으켰던 중세 교회는 수많은 죄악 가운데 타락해버렸습니다. 유례없는 큰 축복을 받았던 유럽의 나라들이 선교라는 미명 아래 식민지를 넓혀 가는 동안 그들의 교회는 박물관으로 변하고 말았습니다. 사랑이 아닌 힘(권력)을 붙잡을 때, 교회의 존재 이유가 사라지고 마는 것을 역사는 우리에게 증명합니다.

예수님의 가족인 참된 교회는 하나님 나라를 살아가는 신앙의 공동체입니다. 하나님 나라는 지정학적이고 물리적인 나라이기보다는 하나님의 뜻대로 살아가는 삶의 양식이자 삶의 태도라고 믿기에, 예수님의 가족들은 하나님 나라를 향해 함께 나아가는 순례자들로서 세상 가운데 맛을 내는 소금과 어둠을 밝히는 빛이 되는 사람들입니다.

하나님의 교회는 꼭 사랑이 필요하지만, '교회 안에 사랑이 없다'고 판단하는 자세는 옳지 못합니다. 맛나게 하고 비춰 주는 사랑은 바로 '나 자신'으로부터 시작된다는 사실을 잊지 말아야 합니다.

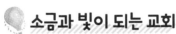 **소금과 빛이 되는 교회**

질문5 초대교회에 있었던 부흥의 이유는 무엇입니까?(행 2:42~47)

질문6 교회가 세상에 필요한 이유는 무엇입니까?(마 28:19~20)

질문7 세상의 소금과 빛이 된다는 말은 무슨 뜻입니까?(마 5:13~16; 롬 12:10; 요일 4:7~8, 16)

첫 교회였던 예루살렘교회는 하나님께서 기뻐하시고 사람들에게 칭찬
받는 교회였습니다. 말씀과 기도가 풍성했고, 서로 사랑했으며 이웃들에게
좋은 영향력을 끼치는 교회였기에 초대교회는 크게 부흥했습니다. 초대 한
국교회도 세상을 선도하고 세상에 본이 되는 교회였습니다. 교인 수는 적
어도 기독교인이라면 정직한 사람들, 좋은 리더들, 존경할 만한 사람들이
라고 인정받았습니다. 그러나 현대교회의 위상은 초대교회와 같지 않습니
다. 그 이유는 무엇일까요?

교회라는 어원 '에클레시아(ejkklhsiva)'는 '불러 모으다'라는 뜻을 가지
고 있습니다. 교회라는 말 자체가 모임을 의미합니다. 그러한 이유로 많은

사람들은 교회의 목적을 모임으로 규정합니다. 그러나 '교회'라는 문자적 의미가 그렇다고 해서 교회의 목적이 단지 '모이는 것'이라고 말할 수는 없습니다.

예수님께서는 제자들에게 가장 위대한 명령을 내리셨습니다. 그것은 바로 온 세상을 제자를 삼으라는 것입니다. 이 명령은, 앞에서 우리가 함께 공부했듯이 온 세상 모든 사람에게 하나님의 자녀가 됨을 회복시키라는 거룩한 명령입니다. 이 명령이야말로 교회의 참된 목적입니다. 하나님께서 가장 관심 있어 하시는 일은 바로 죄악에 빠져 죽음 가운데 있는 당신의 자녀를 살려 내는 일입니다.

그래서 예수님께서도 이미 하나님의 백성이라고 자처하는 바리새인들과 서기관들, 사두개인들을 떠나 그들이 죄인이라 손가락질하는 세리들, 병자들, 창녀들과 함께 계셨던 것입니다. 예수님은 이렇게 말씀하셨습니다.

"주의 성령이 내게 임하셨으니 이는 가난한 자에게 복음을 전하게 하시려고 내게 기름을 부으시고 나를 보내사 포로 된 자에게 자유를, 눈먼 자에게 다시 보게 함을 전파하며 눌린 자를 자유롭게 하고 주의 은혜의 해를 전파하게 하려 하심이라(눅 4:18~19)"

교회는 하나님께서 하시는 일에 쓰임 받을 때만 존재의 의미를 갖게 됩니다. 하나님께서 이처럼 사랑하신 것은 '세상'입니다(요 3:16). 하나님의 관심이 세상에 있으니, 당연히 교회는 세상에 관심을 가져야 합니다. 우리가 교회 안에만 관심을 갖는 사이 세상은 교회를 외면하고 있습니다.

우리는 모이기만 하는 교회에서 벗어나 세상과 소통하는 교회가 되어야 합니다. 예수님께서는 제자들에게 "너희는 세상의 소금과 빛"이라고 말씀하시면서 그들에게 사랑의 계명을 가르치셨습니다. 심심한 세상을 맛나게 하고, 어두운 세상을 밝게 비추는 일은 세상과 소통하며 세상에 사랑을 베풀 때에만 가능하다는 말씀입니다.

세상을 구원할 교회의 사명

예수님께서는 우리를 구원하기 위해 하나님의 본체셨지만 제한된 육신을 입고 사람으로 이 땅에 오셨습니다. 예수님께서 사람의 몸을 입고 오신 모습을 성경은 '자기비움(Kenosis, 빌 2:7)'이라고 말합니다. 예수님께서는 자신을 비우시고 겸손하신 모습으로 우리에게 오셨습니다. 그렇게 오심으로 사람들과 완벽하게 소통하실 수 있었고, 우리를 구원하실 수 있었습니다. 예수님의 마음을 품는다는 것은 바로 자신을 비우고 겸손해져 누군가와 소통할 수 있다는 것을 의미합니다.

온전한 겸손을 통한 소통은 반드시 나눔과 연결되어 있습니다. 예수님께서는 불의한 청지기의 비유(눅 16:8~9)를 통해 나눔의 능력을 우리에게 가르쳐 주십니다. 나눔을 통해 교회는 세상의 마음을 얻을 수 있습니다. 교회가 세상의 마음을 얻는다면 우리 주님은 분명히 우리를 칭찬해 주실 것입니다. 왜냐하면 영적인 전쟁의 싸움터는 언제나 마음이기 때문입니다. 만일 믿음의 사람들이 사랑으로 누군가의 마음을 얻는다면 그 사람은 구원받게 될 것입니다. 반대로 악한 세상의 영들이 그의 마음을 얻는다면 그는 반드시 죽게 될 것입니다. 저 죽어 가는 사람들과 이 세상을 구원할 사명이 우리에게 있다는 것을 잊지 말아야 합니다.

H a p p y ✢ T r i p

"예수께서 나아와 말씀하여 이르시되 하늘과 땅의 모든 권세를

내게 주셨으니 그러므로   는 가서 모든 민족

을 제자로 삼아 아버지와 아들과 성령의 이름으로 세례를 베풀고

내가   에게 분부한 모든 것을 가르쳐 지키게

하라 볼지어다 내가 세상 끝날까지   와 항상

함께 있으리라 하시니라."

마 28:18~20

위 말씀의   안에 자신의 이름을 넣어 읽어 봅시다. 오늘 만남을 통해
깨닫게 된 것을 이야기 나누고 우리 교회를 위해 함께 기도합시다.

07

영과 진리로
드리는예배

행복한 여행 일지							
요절 암송	성경 쓰기와 예습						
마 28:18~20							
말씀 묵상	주일	월	화	수	목	금	토

설교 노트

일곱 번째 만남
영과 진리로 드리는 예배

교회는 무엇보다 예배 공동체입니다. 우리가 교회에 모이면 대부분 예배를 드리는 데 시간을 할애하기 때문입니다. 그러므로 그리스도인들에게 있어서 예배를 드리는 자세는 그들의 신앙을 단적으로 말해 주는 척도가 되기도 합니다. 하나님께서는 우리를 참된 예배자로 부르고 계십니다. 이 단원에서 우리는 참된 예배란 어떠하며, 참된 예배자의 자세는 어떠한지 함께 연구해 보겠습니다.

질문1 당신이 생각하는 참된 예배는 무엇입니까?

_____

_____

_____

 **인생의 우선순위**

질문2 당신의 인생에서 가장 중요한 것은 무엇입니까?

_____

_____

_____

_____

_____

질문3 성경 속에서 일어난 놀라운 기적들은 무엇과 관련이 있습니까?(창 35:1; 삼상 7:9~11; 느 8:6; 행 16:25~26)

_____

_____

_____

_____

_____

_____

성경에 기록된 위대한 인물들은 모두 예배자였습니다. 믿음의 조상이 된 아브라함은 가는 곳마다 제일 먼저 제단을 쌓은 사람이었고, 모세도 이스라엘이 애굽을 떠나는 목적을 하나님 앞에 예배를 드리기 위함이라고 말했습니다. 이스라엘 백성은 광야에서조차 성막을 앞세우고 수많은 기적과 승리를 경험했습니다. 사무엘은 이스라엘 백성을 모아 미스바에서 예배드렸을 때 블레셋을 무찌르는 놀라운 승리를 얻었고, 포로에서 풀려난 이스라엘 백성이 제일 먼저 했던 일도 수문 앞 광장에 모여 예배를 드리는 일이었습니다. 바울과 실라의 예배는 감옥을 부수고 간수장의 가정을 구원했습니다. 어떻게 예배자들은 이런 놀라운 기적과 승리를 경험할 수 있었을까요?

인생의 문제는 우선순위의 왜곡에서부터 비롯됩니다. 야곱은 하나님보다 자신의 안정이 우선이었기 때문에 세겜에서 큰 문제를 겪었습니다(창 34장). 사울왕은 하나님께 온전히 예배드리는 일보다 전쟁에서의 승리가 더 중요하다고 생각했기 때문에 하나님께로부터 버림받았습니다(삼상 13장). 초대교회의 교부였던 어거스틴은 자신의 책《고백록》에서 우리 인생은 하나님께로 돌아가기 전까지는 안식할 수 없다고 말했습니다. 우리는 하나님을 향해 창조된 피조물이므로 하나님을 향해 있을 때만 올바른 인생을 살 수 있습니다. 절대적이신 하나님께는 절대적인 사랑을 드려야 하며, 상대적인 것에는 상대적인 사랑을 베풀어야 하는 것입니다. 이것이 바로 사랑의 우선순위입니다. 우리의 인생에 올바른 우선순위가 매겨지지 않는다면 그때부터 우리는 심각한 문제에 휩싸이게 되는 것입니다.

예배는 우리 삶의 우선순위를 바로잡는 가장 중요한 도구이자 상징입니다. 올바로 예배드리는 사람은 삶의 우선순위를 올바르게 정한 사람입니다. 아울러 우리는 예배를 통해 삶의 우선순위를 교정 받습니다. 하나님께서 야곱에게 벧엘로 올라가 단을 쌓으라고 하신 것은 삶의 우선순위를 다시 올바르게 교정하라는 말씀이었습니다. 비록 우선순위가 어그러졌더라도 다시 예배를 통해 바로잡는다면 우리의 삶은 하나님께서 원하시는 아름다운 인생으로 교정되는 것입니다. 하나님께서는 지금도 예배자를 찾고 계십니다. 그렇다면 참된 예배자는 누구며 참된 예배는 무엇일까요?

🎈 참된 예배, 참된 예배자

질문4 하나님께서 찾으시는 예배자는 어떤 사람들입니까? 성경에는 어떻게 예배하라고 기록되어 있습니까?(요 4:20~24; 롬 12:1)

_____

_____

_____

_____

_____

_____

_____

_____

질문5 가장 좋은 예배 장소는 어디입니까?(요 4:20~24)

＿＿＿＿＿＿＿＿＿＿＿＿＿＿＿＿＿＿＿＿＿＿＿＿

＿＿＿＿＿＿＿＿＿＿＿＿＿＿＿＿＿＿＿＿＿＿＿＿

＿＿＿＿＿＿＿＿＿＿＿＿＿＿＿＿＿＿＿＿＿＿＿＿

＿＿＿＿＿＿＿＿＿＿＿＿＿＿＿＿＿＿＿＿＿＿＿＿

〈요한복음〉 4장의 사마리아 수가성 여인과 예수님의 대화는 참된 예배가 무엇인지 고민하는 이들에게 좋은 대답이 됩니다. 당시 그리심산을 예배 장소로 삼고 있었던 사마리아 사람들과 예루살렘 성전 중심의 예배를 드리던 유대인들의 갈등 가운데 예수님께서는 이곳도 저곳도 아닌 '영과 진리'로 예배하는 때가 온다고 말씀하셨습니다. 사람들은 예배드리는 장소에 대해 궁금해 했는데, 예수님께서는 '영과 진리'로 예배해야 한다는 동문서답을 하고 계신 것입니다. 그러나 이 말씀을 살펴보면 전혀 동문서답이 아님을 알 수 있습니다. 이 말씀에서 '영'은 성령님을 일컫습니다. 우리의 예배에 있어서 더 중요한 것은 장소가 아니라 성령님의 임재입니다. 성령님께서 임재하시는 곳이 가장 좋은 예배 장소이기 때문입니다. 그러므로 하나님과 만나는 모든 곳이 우리의 예배 장소입니다.

질문6 예배의 형식보다 더 중요한 것은 무엇입니까?(요 4:20~24)

＿＿＿＿＿＿＿＿＿＿＿＿＿＿＿＿＿＿＿＿＿＿＿＿

＿＿＿＿＿＿＿＿＿＿＿＿＿＿＿＿＿＿＿＿＿＿＿＿

＿＿＿＿＿＿＿＿＿＿＿＿＿＿＿＿＿＿＿＿＿＿＿＿

＿＿＿＿＿＿＿＿＿＿＿＿＿＿＿＿＿＿＿＿＿＿＿＿

예배는 하나님께 대한 우리의 마음, 즉 하나님을 경외하고 사랑하는 것을 표현하는 것입니다. 그리고 이 표현 가운데 하나님의 임재를 경험하는 것입니다. 그러므로 예배란 나를 만족시키는 것이 아니라 하나님을 만족시키려는 의식입니다. 세대마다, 지역마다 예배 형식은 달라집니다. 어떤 이들은 자신이 선호하는 음악이 있어야 은혜로운 예배라 하고, 어떤 이들은 자신들에게 익숙한 요소가 들어 있어야 좋은 예배라 말합니다. 그러나 예배는 음악보다도, 어떤 요소보다도 먼저 시작된 신앙 고백이었습니다.

예배는 우리의 익숙한 형식을 반복하는 것이 아니라, 매일매일 삶에서 역동적으로 역사하시는 하나님을 만나는 것입니다. 그래야만 내 만족을 위해 예배하지 않고 하나님의 만족을 위해 예배할 수 있기 때문입니다. 그러므로 영과 진리로 예배하는 사람들은 "나 오늘 은혜받았어."라고 말하지 않고 "난 오늘도 최선을 다해 예배드렸어."라고 말합니다.

질문 7 가장 좋은 예배 시간은 언제입니까? (요 4:20~24)

_____

_____

_____

_____

_____

_____

_____

_____

_____

_____

_____

_____

_____

예배에 대해 논쟁하는 이들이 장소와 형식 못지않게 중요하게 생각했던 것은 바로 시간입니다. 어떤 때에 예배를 드리는 것이 올바른지에 대해 의견이 분분했습니다. 유대인들은 갖은 절기를 정해 놓고 그때 예배하지 않는 사마리아인들을 이방인 취급했기 때문입니다. 그래서 예수님은 진리 안에서 드리는 예배를 말씀하십니다. '진리'는 〈요한복음〉에서 끊임없이 진리로 일컬어지는 예수님을 뜻합니다. 수가성 여인이 주님을 알아보지 못하고 계속 메시아를 기다릴 때, 예수님은 당신이 바로 그 메시아라고 가르쳐주십니다. 그리고 예배할 때는 곧 '이때' 즉, 지금이라고 말씀하십니다. 수가성 여인에게 있어 가장 좋은 예배 시간은 바로 진리이신 예수님을 만난 바로 그때였기 때문입니다. 그러므로 우리에게 가장 좋은 예배 시간은 예수님을 만날 수 있는 바로 지금입니다.

참된 예배, 참된 예배자

참된 예배자는 영과 진리로 예배하는 사람입니다. 그렇기에 참된 예배자는 장소나 형식, 시간과 같은 예배의 환경보다는 그 예배를 통해 우리의 심령에 주시는 하나님 말씀에 귀를 기울입니다. 그러므로 예배자는 예배를 통해 성령께서 주시는 메시지에 가장 민감하게 반응해야 합니다. 또한 참된 예배자는 예배를 통해 우리의 삶 가운데 찾아오시는 예수님을 만납니다. 정해진 어느 때가 아니라 우리 삶의 모든 순간에 우리와 동행하시며 삶의 해답을 주시는 예수님을 만나는 것이야말로 참된 예배입니다. 그러므로 참된 예배자는 예배를 통해 예수님께서 지금 나에게 원하시는 것이 무엇인지 발견하고 선택하는 사람입니다. 자기 몸을 하나님이 기뻐하시는 산 제물로 드린다는 것이 바로 이런 의미입니다.

 **예배의 요소**

질문8 당신을 가장 하나님께 집중하게 하는 예배 요소는 무엇입니까? 혹은 당신을
가장 불편하게 하는 예배 요소는 무엇입니까?

_____

_____

_____

_____

_____

_____

_____

_____

_____

말씀과 성례전

예배에 있어 가장 대표적인 요소는 말씀과 성례전입니다. 이 두 가지는
개신교의 근간이 된 종교개혁자들이 가장 중요하게 생각했던 예배 요소입
니다. 현대교회의 예배는 말씀 중심의 예배라고 해도 과언이 아닐 정도로
예배에 있어 말씀이 차지하는 비중이 큽니다. 사도 요한은 말씀이 곧 하나님
이시라고 선언하기까지 하였습니다(요 1:1). 우리는 선포되는 말씀을 통해 하

나님을 만나기 때문에, 말씀을 듣는 것은 예배에 있어 매우 중요합니다. 그러므로 홀로 예배할 때라도 말씀을 읽거나 암송하며 묵상해야 합니다.

성례전은 좁은 의미에서 성만찬을 말하는 것으로, 예수님께서 잡히시던 날 밤에 제자들과 함께하신 유월절 식사에서 기원하였습니다(고전 11:23~26). 성만찬은 예수님의 살과 피를 먹고 마시며 예수님의 몸과 보혈에 동참하는 예식으로, 그리스도께서 세상을 이기셨듯이 우리 또한 세상을 이길 그리스도인임을 선언하는 것입니다.

찬양과 교제

예배에는 하나님을 높여드리는 감사와 찬양이 있을 뿐만 아니라 성도의 교제가 함께 있습니다. 이것은 예배에 종(縱)적인 측면과 횡(橫)적인 측면이 있음을 나타냅니다. 예수님께서 하나님 사랑과 이웃 사랑을 최고의 계명으로 말씀하신 것과 같이(마 22:37~40), 예배 안에서도 하나님을 향한 찬양과 이웃을 향한 교제가 중요한 요소입니다. 하나님 사랑 없는 헌신이 무의미한 것처럼 이웃 사랑 없는 예배는 하나님께서 받지 않으십니다(마 5:23~24). 예배 안에 하나님을 향한 사랑의 찬양과 이웃을 향한 사랑의 교제가 만나 십자가를 이룰 때 우리의 예배는 하나님께서 기뻐 받으실 아름다운 예배가 됩니다.

예배의 헌신과 삶의 헌신

헌신은 예배에 있어 중요한 요소 중 하나입니다. 좁은 의미로 헌금을 비롯해 넓게는 모든 봉사 활동에 이르기까지 헌신을 통해 우리는 예배를 더욱 예배답게 만들 수 있습니다. 서기관들과 바리새인들은 물질적인 헌신만을 강조하므로 삶의 헌신이 없어 예수님께 꾸중을 들었습니다(마 23:23). 참된 예배는 예배 안에서의 헌신으로 시작해 삶의 헌신으로 더욱 풍성해집니다. 그러므로 참된 예배자는 하나님께 드린 헌금으로 자신의 헌신을 다 했다고 여기지 않고 늘 삶 가운데 하나님과 이웃을 위해 헌신하는 사람입니다.

참된 예배자 되기

현대교회들은 예배자들이 영과 진리로 예배할 수 있도록 최선을 다해 돕고 있습니다. 여러 가지 예배 요소들을 활용해 참된 예배를 드리기 위해 애를 씁니다. 그러므로 예배자들도 예배의 참된 의미와 예배 요소에 대한 넓은 이해심을 갖추어야 합니다. 기독교 신앙에 위배되거나 비윤리적인 요소가 아니라면 나와는 다른 이들을 위한 배려심을 갖고 하나님께 집중해야 합니다. 그렇게 예배한다면 시간과 장소에 상관없이 형식에 지배받지 않고 영과 진리로 예배할 수 있습니다. 하나님께서는 지금도 우리를 영과 진리로 예배하도록 부르고 계십니다. 이 부르심에 응답하여 주님의 음성을 듣는 이야말로 참된 예배자요, 제자입니다.

"아버지께 참되게 예배하는 　　　　　　은 영과 진리로

예배할 때가 오나니 곧 이때라 아버지께서는 자기에게 이렇게 예

배하는 　　　　　　을 찾으시느니라 하나님은 영이시니

예배하는 　　　　　가 영과 진리로 예배할지니라."

요 4:23~24

위 말씀의 　　　 안에 자신의 이름을 넣어 읽어 봅시다. 오늘 만남을 통해
깨닫게 된 것을 이야기 나누고, 참된 예배자가 되기 위해 함께 기도합시다.

08

여덟 번째 만남

하나님 말씀대로
사는 삶

행복한 여행 일지							
요절 암송	성경 쓰기와 예습						
요 4:23~24							
말씀 묵상	주일	월	화	수	목	금	토

설교 노트

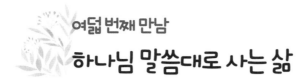

여덟 번째 만남
하나님 말씀대로 사는 삶

사도 요한은 "말씀은 곧 하나님이시니라"고 선언했습니다(요 1:1). 말씀은 신앙생활에 가장 중요한 기준입니다. 많은 사람들이 말씀이 중요하다고 하면서도 실제로 말씀이 왜 꼭 필요한지, 또 어떻게 묵상하고 연구하는지 전혀 모르고 있습니다. 이 단원에서는 성경말씀을 연구하고 묵상하는 방법에 대해 나누겠습니다.

질문1 어떤 방법으로 우리를 향한 하나님의 마음과 계획을 알 수 있습니까?

_____

_____

_____

_____

 **하나님 말씀**

질문2 성경은 어떻게 만들어졌습니까? 성경의 유익은 무엇입니까?(딤후 3:15~17;
시 119:105)

_____

_____

_____

_____

_____

_____

_____

_____

_____

_____

_____

_____

_____

_____

_____

_____

_____

성경을 기록한 사람들과 성경 안에 기록된 사람들은 모두 시험과 시련, 또는 유혹을 당한 사람들입니다. 어떤 이들은 그것을 통해 자신의 믿음을 증명하였고, 또 다른 어떤 이들은 자신의 연약함을 드러냈습니다. 그러나 그 모든 경우에 하나님께서는 당신의 사랑과 은혜를 나타내셨습니다. 성경을 '구약(Old Testament)'과 '신약(New Testament)'이라고 표현합니다. 그 이유는, 성경은 하나님께서 당신의 백성들에게 주시는 구원의 약속이자 보증서이기 때문입니다. 그렇기에 성경을 잘 묵상하고 연구하면 우리가 살아가야 할 목표와 방향이 보이게 됩니다. 그러한 의미로 우리가 읽는 성경 66권을 '잣대'를 뜻하는 '캐논(Canon, 정경)'이라고 부르기도 합니다. 하나님 말씀이 우리 인생의 기준이 된다는 뜻입니다. 그렇기에 〈시편〉 기자는 주님의 말씀을 "내 발의 등이요, 내 길의 빛이시라"고 고백한 것입니다.

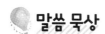

말씀 묵상

질문3 당신은 당신 안에 있는 하나님의 형상을 어떻게 지켜 가고 있습니까?(요 20:27)

_____

_____

_____

_____

_____

_____

_____

_____

_____

_____

_____

하나님의 형상 지키기

라틴어로 '코람 데오(Coram Deo)'라는 말이 있습니다. '하나님 앞에서' 라는 뜻입니다. 하나님 앞에서 결단하고, 하나님 앞에서 나를 보고, 하나님 이 나를 보고 계신다는 사실 앞에서야 비로소 삶을 결단하는 용기가 나오 는 것입니다. 무엇보다 먼저, 하나님 말씀 앞에 서면 우리가 하나님 앞에 서 있음을 의식하게 됩니다. 하나님과 함께하지 않으면서 하나님의 형상을 유 지할 수 있다는 생각은 착각일 뿐입니다. 잃어버린 하나님의 형상, 잃어버 린 영성, 식어버린 은혜는 하나님과 함께하지 않기 때문입니다.

〈요한복음〉 20장에 예수님께서 부활하셔서 제자들에게 나타나시는 장 면이 나옵니다. 제자 중 하나였던 도마는 그 자리에 있지 않아 주님의 부활 을 의심하게 되었습니다(요 20:24). 주님과 함께 있지 않으면 우리의 마음에 의심이 생기고 주님에 대한 신뢰가 깨져버립니다. 빛이 꺼지면 어둠이 몰 려오듯 하루라도 주님의 말씀을 묵상하지 않으면 우리의 삶에 은혜가 사라 지고 근심과 걱정, 죄악의 유혹이 몰려오기 시작합니다. 말씀을 읽고 오늘 나에게 주시는 음성이 무엇인지 듣는 묵상은 불 꺼진 인생에 스위치를 올 리는 것과 같습니다.

하나님 말씀을 묵상(QT)하는 방법

하나님 말씀을 묵상하는 방법에는 여러 가지가 있습니다. 그러나 어떤 방법이든 하나님 말씀을 읽어야 한다는 것과 또한 그 읽은 말씀이 자신과 어떤 관계가 있는지 살피고 자신의 삶에 적용해야 한다는 사실에는 변함이 없습니다. 모든 말씀 묵상의 방법들은 성경을 읽게 하고, 그 말씀대로 살도록 하기 위해 고안된 것이라는 사실을 잊지 말아야 합니다. 그러므로 나에게 맞는 말씀 묵상을 위해 담임 교역자의 조언을 받아 말씀 묵상을 배울 수 있는 강좌나 QT 학교 등에 등록하여 배우는 것을 권합니다. 이 과에서는 간단한 방법을 소개합니다.

첫째, 매일 시간과 장소를 정해 말씀을 읽고 묵상합니다. 예수님께서도 습관적으로 새벽에 한적한 곳에 가서서 기도하셨고(눅 22:39; 막 1:35), 믿음의 사람들은 묵상하는 습관이 있었습니다(창 24:63; 단 6:10). 시간과 장소는 본인이 정하되, 말씀과 기도에 집중할 수 있는 환경이어야 합니다(마 6:6).

둘째, 말씀을 읽기 전에 찬양이나 기도로 마음을 엽니다. 충분한 준비 과정이 없으면 말씀을 읽어도 다른 생각이 들거나 말씀을 문자적으로만 읽는 실수를 범할 수 있기 때문입니다. 사도 바울은 고린도 교인들에게 "율법 조문은 죽이는 것이요 영은 살리는 것"(고후 3:6)이라고 가르쳤습니다. 성경은 행간을 읽는 대표적인 책이기 때문에 문자적으로 읽고만 지나가면 아무소용이 없습니다. 말씀 내용을 받아들이기 위해서는 무엇보다도 마음의 자세가 중요합니다.

셋째, 말씀의 의미에 집중하며 읽고 이해가 되지 않으면 다시 읽습니다. 여러 번 읽어도 이해가 되지 않는다면 성구 사전 등의 도움을 받아 정확한 문장의 의미를 파악합니다. 아무리 지혜롭고 명석한 사람이라도 모든 말씀의 의미를 다 알기는 어렵습니다(행 8:31). 필요하다면 성경을 잘 아는 분들의 도움을 받아야 합니다. 다행히도 묵상을 위해 제작되어 있는 대부분의 묵상집(QT 교재)에는 우리가 알기 어려운 단어나 문장에 대한 설명이 잘 되어 있습니다. 그러므로 처음부터 성경책만을 읽으려고 고집하지 말고 좋은 묵상집을 선택하는 것도 좋은 방법입니다.

넷째, 말씀의 의미를 파악했으면 이 말씀이 자신과 어떤 관련이 있는지 생각합니다. 말씀을 묵상하다 보면 말씀을 다른 사람에게 적용하는 실수를 범하게 됩니다. 그러나 묵상한 말씀은 묵상한 사람을 위한 하나님의 음성임을 잊지 말고 예외 없이 자신과 말씀을 연관시키는 고리를 찾아내야 합니다.

다섯째, 말씀과 자신의 삶이 연결되었으면 말씀에 따른 결단이 필요합니다. 묵상한 말씀을 통해 깨달은 것을 삶으로 실천할 수 있도록 실천 사항을 적어 둡니다. 그런 후에 깨닫게 하신 하나님께 감사하며 말씀대로 살 수 있도록 도움을 구하는 기도로 말씀 묵상을 마칩니다.

말씀 연구

성경은 하나님의 감동을 받은 기록자들이 자신들의 세대에 맞는 자신들의 언어로 기록하였습니다. 천년이 넘는 시간 동안 기록되었고, 무려 66권의 책을 묶어 놓은 것입니다. 게다가 지금 우리가 보는 책들은 모두 원본이 아닌 번역된 사본들입니다. 그렇기 때문에 그냥 성경을 읽고 묵상하는 것만으로는 말씀의 뜻을 온전히 알 수 없습니다. 그래서 우리에게 필요한 것이 '말씀 연구'입니다.

말씀에 대한 연구는 체계적인 과정이 필요합니다. 교회 내에 성경공부 과정이 있다면, 교회 안의 성경공부에 참여하여 체계적으로 연구하는 것이 가장 좋습니다. 지역교회들이 함께 운영하는 사경회 등에 적극적으로 등록하여 연구하는 것도 바람직합니다.

요즘은 말씀을 왜곡해서 이익을 챙기려는 잘못된 단체들(특히 이단들)이 많이 있으므로 외부의 성경 연구 과정을 선택할 때는 교회의 교역자와 상의하여 등록하고, 일단 어떤 과정을 등록하였으면 끝까지 과정을 마치도록 노력해야 합니다. 또한 각 성경 연구는 관점이 서로 다를 수 있기 때문에 과정을 마친 후에는 또 다른 과정에 들어가 말씀에 대한 이해를 폭넓게 갖는 것도 중요합니다.

 **말씀으로 충만한 삶**

질문4 성령 충만이란 표현은 어떤 상태를 가리키는 말입니까?(행 2:4, 4:31)

_____

_____

_____

_____

_____

우리는 앞에서 성령님의 임재와 기름부음에 대해 공부했습니다. 그런데 한 가지 성령님과 관련된 표현 중에 '충만'이라는 말이 있습니다. 과연 '성령 충만'이란 무엇일까요? 〈사도행전〉을 읽어 보면 성령이 충만했던 믿음의 사람들이 주로 했던 일들이 있었습니다. 그것은 담대히 하나님 말씀을 전하는 일이었습니다. 예수님의 제자들이 전하는 말씀을 들었던 사람들은 무식했던 제자들이 유식해진 데 놀랍니다. 이전에는 무식하고 겁쟁이였던 제자들이 그토록 담대하고 명확하게 하나님의 비밀을 전할 수 있었던 이유는 무엇일까요? 바로 성령님이 오셔서 제자들의 속사람을 말씀으로 채우셨기 때문입니다. 말씀 충만이 곧 성령 충만이요, 성령 충만은 곧 말씀 충만입니다. 마치 물속에 그릇이 들어 있어 물과 함께 움직이는 것과 같이 '말씀 안에 내가 있고 내 안에 말씀이 있는 상태' 그래서 '말씀이 움직이면 나도 움직이고 말씀이 춤추면 나도 춤추는 상태'가 말씀 충만입니다. 우리는 그런 사람을 성령이 충만한 사람이라고 부릅니다.

사도들은 이러한 말씀의 중요성을 알았기에 "우리는 오로지 기도하는 일과 말씀 사역에 힘쓰리라"고 선포했습니다(행 6:4). 그렇게 함으로써 그들은 성령이 충만하여 죽기까지 하나님과 동행할 수 있었습니다.

언제나 좋은 선택을 하며 살고 싶습니까? 지금 받고 있는 은혜와 감사의 마음을 평생 유지하고 싶습니까? 그렇다면 말씀을 묵상하고 연구하는 삶을 사십시오. 성령님이 우리 삶을 평생 행복으로 가득 채워 주실 것입니다.

"아침에   로 하여금 주의 인자한 말씀을 듣게 하소서   가 주를 의뢰함이니이다   가 다닐 길을 알게 하소서   가   영혼을 주께 드림이니이다."

시 143:8

위 말씀의   안에 자신의 이름을 넣어 읽어 봅시다. 오늘 만남을 통해 깨닫게 된 것을 이야기 나누고, 말씀으로 충만한 삶을 살기 위해 함께 기도합시다.

HappyTrip

09

아홉 번째 만남

하나님과
대화하기

행복한 여행 일지							
요절 암송	성경 쓰기와 예습						
시143:8							
말씀 묵상	주일	월	화	수	목	금	토

설교 노트

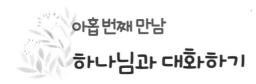

아홉 번째 만남
하나님과 대화하기

긴급 통화를 위한 전화번호가 있습니다. 불이 났다든지, 위험에 처한 순간 같이 긴급히 도움을 요청해야 할 때 필요한 번호입니다. 우리는 친구가 필요할 때도 전화기를 듭니다. 상담이나 조언을 필요로 할 때도 전화기를 듭니다. 혹시 당신은 '어떠한 상황에도 항상 큰 도움을 줄 수 있는 그런 전화는 없을까?' 하는 생각을 해 본 적은 없습니까?

하나님의 자녀가 된 백성들에게는 좋은 통화의 창구가 있습니다. 어떤 문제든지 해결해 주고, 어떤 상담도 할 수 있으며, 그럼에도 불구하고 가장 적절한 해답을 던져 주는 그런 대화의 방법 말입니다. 그것은 바로 '기도'입니다. 우리는 기도를 통하여 하나님께 말씀하고, 하나님께서는 기도를 통해 우리에게 응답해 주십니다.

오늘 이 시간에는 영혼의 호흡이자, 하나님과의 좋은 대화 방법인 기도에 대해 함께 배워 보겠습니다.

질문1 지금은 기도해야 할 때라고 생각해 본 적이 있습니까? 언제, 왜 그런 생각을
했습니까?

_____

_____

_____

🔵 기도, 영혼의 호흡

질문2 기도는 언제, 어디서, 누구에게 하는 것입니까?(엡 6:18; 골 4:2; 살전 5:17; 딤
전 2:8)

_____

_____

_____

_____

_____

_____

_____

_____

기도는 하나님과 대화하는 모든 과정을 일컫는 말입니다. 우리가 격식을 차리지 못할 위급한 순간에 하나님을 향해 던지는 탄식 한 마디도 기도가 됩니다(수 10:12). 때로는 오랫동안 계획을 세우고 드리는 간구도 기도입니다. 그리고 우리가 자주 잊어버리는 일이지만, 하나님의 음성을 듣는 조용한 시간도 기도의 일부입니다(왕상 19:12). 다른 모든 대화에는 마땅한 때가 있고, 장소가 있고, 대상이 있습니다. 그러나 기도에는 정해진 때와 장소가 없습니다. 기도의 대상이 늘 하나님이시기 때문입니다. 하나님께서는 언제 어디서나 우리의 기도에 귀를 기울이시기 때문에 우리는 언제 어디서든 기도할 수 있습니다(시 34:15, 77:1; 민 20:16). 그래서 시인은 "하나님께서 내게 귀를 기울이셨으므로 내가 평생에 기도하리로다."라고 노래합니다(시 116:2; 롬 12:12).

하나님께서는 우리가 계속 기도하기를 원하십니다. 우리가 드리는 기도의 깊이는 하나님에 대한 신뢰의 깊이와 같습니다. 대화를 가장 많이 하는 사람과의 관계가 가장 깊은 관계인 것처럼, 기도를 그 입술에서 떠나지 않게 하는 것이 깊이 있는 기도며, 그렇게 기도하는 사람이 하나님을 신뢰하는 사람입니다. 그래서 동방교회의 교부들은 숨 쉬는 모든 순간에 기도하기 위해 '예수 기도'를 만들어 내기도 했습니다.

기도의 종류

질문3 기도의 종류에는 어떤 것이 있습니까?(딤전 2:1; 약 5:13)

_____

_____

_____

_____

_____

_____

사도 바울이 믿음의 아들 디모데에게 보낸 편지를 통해 우리는 기도에는 '간구, 기도, 도고, 감사' 네 가지 종류가 있음을 알 수 있습니다(딤전 2:1).

첫 번째 '간구'는 희랍어로 '데에시스(devhsi")'라는 말인데, 간절하게 소원하는 기도를 말합니다. 하나님 앞에 바라는 것이 있을 때, 그것이 이루어지기 위해 마음을 다하여 끈기 있게 기도하는 것을 '간구'라고 합니다. 예수님께서도 목적을 두고 기도할 때는 낙심하지 말고 끈질기게 기도하라고 말씀하십니다(눅 18:1~8). 하나님께서는 반드시 간구하는 기도에 응답하시는 분이십니다.

두 번째 '기도'는 '프로슈케(proseuchv)'라는 말로, 일반적으로 우리가 하는 모든 기도를 의미하기도 하지만, 특별히 주님 앞에 드리는 예배를 뜻하는 말이기도 합니다. 우리는 하나님께 예배하며 우리의 죄악을 고백하고 하나님의 신실하심에 우리의 삶을 맡깁니다. 우리의 모든 죄와 허물, 우리 인생의 모든 짐을 맡기는 그 기도를 하나님께서는 받으시며 그것을 기뻐하십니다(마 11:28; 시 51:17). 그러나 이러한 고백과 맡김은 하나님의 위대하심과 권능을 인정하는 것에서부터 출발합니다. 그러므로 고백에 앞서 우리가 잊지 말아야 할 것은 하나님의 위대하심을 찬양하는 일입니다. 하나님을 경외하는 사람만이 그 빛 안에 자신의 연약함을 발견하게 되고 주님을 온전히 의지할 수 있습니다. '기도'는 이렇게 하나님을 경외하고 연약한 자신을 맡겨 드리는 것을 의미합니다.

세 번째 '도고'는 '엔튝시스(e[nteuxi")'라는 말로 '자기와 관련된 어떤 사람을 편들거나 반대하기 위해 제3자에게 간청하는 행위'에서 비롯된 말입니다. 요즘 교회에서는 '중보기도'라는 말로 사용하기도 합니다. 하나님께서는 이 세상을 하나님의 뜻대로 가꾸어 가십니다. 그릇된 것을 올바로 잡으시며 세상을 주님의 나라로 만드실 계획을 갖고 계십니다. 그럼에도 불구하고 그 일을 위해 당신의 자녀들인 우리가 기도하기를 원하십니다. 하나님의 뜻을 이뤄드리는 기도, 세상의 모든 사람들과 세상의 모든 것을 위해 대신 기도하는 일, 그것이 바로 '도고'입니다(겔 36:33~38).

네 번째 '감사'는 '유카리스티아(eujcaristiva)'라는 말로 하나님의 은혜와 섭리를 고백하며 드리는 모든 감사를 의미합니다. 구약성경에 감사와 가장 많이 붙어 있는 말이 '인자하심(헤세드, dseje)'이라는 말입니다. 이 말은 무려 구약에 245회 나옵니다. 하나님과의 약속을 떠나 멸망에 빠진 우리를 향해, 당신의 약속을 저버리지 않으시고 끝까지 구원하시는 신실하신 하나님의 모든 은혜와 사랑을 뜻하는 단어입니다. 우리를 사랑하시고 구원하시는 하나님의 은혜와 섭리는 우리 삶의 모든 측면과 모든 순간에 역사하시기 때문에, 우리는 우리에게 일어나는 모든 일에 감사의 고백을 드릴 수밖에 없습니다(시 136:1).

이러한 기도의 종류 외에 한 가지 꼭 기억할 것이 있는데, 그것은 바로 찬양입니다. 흔히 우리가 찬양이라고 부르는 것에는 "시와 찬미와 신령한 노래들"이 포함됩니다(골 3:16). "시와 찬미와 신령한 노래들"은 위에서 함께 공부한 모든 기도의 내용을 곡조에 따라 부르는 것을 말합니다. 찬양도 하나님 앞에 올려드리는 똑같은 기도입니다. 우리가 어느 곳, 어느 때라도 찬양할 수 있다면, 하나님께서는 반드시 그 찬양에 응답하시며 역사하신다는 사실을 잊지 말아야 합니다.

 기도의 능력

질문4 기도에는 어떤 능력이 있습니까?(창 20:17, 24:12; 신 4:7; 삼상 1:27; 왕하 20:5; 대하 30:20; 마 26:41; 딤전 4:5; 약 5:15, 17~18)

기도는 하나님과의 대화며, 하나님의 능력을 구하는 일입니다. 우리들에게는 늘 한계가 있습니다. 그러나 하나님께서는 한계가 없으시기에 하나님의 능력을 구하면 하나님께서는 우리의 기도를 통해 당신의 능력을 쏟아부으십니다. 그러므로 기도는 측량할 수 없는 능력의 통로입니다. 물통 속의 물은 그 양을 가늠할 수 있지만, 수도꼭지의 물은 그 양을 가늠할 수 없습니다. 기도는 마치 하나님의 능력의 수도꼭지와 같습니다. 그렇기에 기도의 사람들은 놀라운 일들을 경험했습니다. 죽었던 사람이 되살아나기도 하고, 이미 생산의 능력을 잃은 여인들이 잉태를 하기도 했습니다. 무서운 고난에서 구출되었으며, 도저히 이길 수 없는 적들을 이기기도 했습니다. 심지어 어떤 이들은 우주의 질서를 되돌리거나 멈추기도 했습니다. 그러므로 기도하는 사람에게는 불가능이 없습니다.

기도의 방법

질문5 어떻게 기도할 때, 하나님의 능력이 나타납니까?

_____

_____

_____

_____

_____

_____

하나님의 능력이 나타나는 기도는 첫째, 죄악에서 떠나 겸손히 드리는 기도입니다. 하나님께서는 결코 더러운 그릇을 사용하지 않으십니다. 깨끗한 그릇을 통해 하나님께서는 사람들과 땅을 고치시고 놀라운 회복의 역사를 이루십니다(딤후 2:21; 약 5:16). 그러나 반대로 죄악된 욕심을 위해 구하는 기도는 결코 응답되지 않습니다(약 4:2~3). 그러므로 모든 기도에는 자신을 정결케 하는 회개가 우선되어야 합니다.

둘째, 하나님의 마음을 아는 사람의 기도에는 능력이 있습니다. 우리는 앞에서 하나님께서 당신의 계획을 우리의 기도를 통해 이루시기 원하신다는 사실을 배웠습니다. 그러므로 하나님의 계획을 확실히 알고 기도하는 사람의 기도는 능력이 나타납니다. 그러므로 무엇보다 먼저 하나님 나라와 의를 구하는 사람에게는 놀라운 응답이 있습니다(마 6:33).

셋째, 간절히 구하고 부르짖는 기도에 능력이 있습니다. 성경에는 하나님께 부르짖으며 간절히 기도한 사람들에게 하나님께서 응답하신 많은 증거들이 있습니다. 하나님은 부르짖는 자의 하나님이십니다. 하나님께서는 심지어 이방인으로서 자격이 없는 사람의 부르짖음에도 응답해 주셨습니다(창 16:11). 예수님께서도 간절히 구하는 중심의 기도에 반드시 응답해 주신다고 약속해 주셨습니다(마 7:7). 그뿐만 아니라 하나님 앞에 간절히 부르짖어 기도하는 사람에게는 미처 생각하지 못했던 놀라운 일까지 깨닫게 하시는 은혜를 베풀어 주십니다(렘 33:3).

넷째, 하나님께서 응답하실 것을 확실히 신뢰하는 사람의 기도에는 능력이 있습니다(막 11:24). "믿음은 바라는 것들의 실상이요 보지 못하는 것들의 증거"(히 11:1)라고 했습니다. 믿음에는 없는 것을 있게 만드는 능력이 있습니다. 믿음으로 본 것은 이미 있는 것이나 다름이 없습니다. 그러므로 믿음으로 기도하면 놀라운 능력을 체험하게 됩니다. 그러나 의심하는 사람에게는 결코 능력이 없음도 잊지 말아야 합니다(약 1:6~8).

다섯째, 함께 한마음으로 모여 기도할 때 능력이 나타납니다(마 18:19). 초대교회는 함께 모여 기도하기를 힘쓰는 공동체였습니다(행 2:42). 예수님의 명령을 따라 함께 다락방에 모여 기도하던 제자들은 성령의 놀라운 능력을 경험했습니다(행 1:14).

여섯째, 예수님의 이름으로 기도할 때 기도한 대로 이루어지는 능력이 있습니다. 예수님은 우리의 중보자가 되시기 때문에(딤전 2:5), 우리의 간절한 기도를 예수님의 이름으로 올려드리면 하나님께서 기도에 응답하십니다(요 14:13~14).

일곱째, 하나님 말씀에 의지하여 기도할 때 능력이 있습니다. 하나님 말씀은 우리에게 주신 약속이므로 우리가 기도할 때 말씀을 되새기며 기도하면, 하나님께서도 들으시고 그 약속에 응답해 주십니다. 말씀을 따라 사는 것이 하나님을 의지하는 삶인 것과 마찬가지로 말씀을 따라 기도하는 것은 하나님을 의지하며 기도하는 것입니다(잠 16:20; 눅 5:5).

🎈 기도의 응답

질문6 하나님께서는 어떤 방법으로 우리의 기도에 응답하십니까?

_____

_____

_____

_____

_____

하나님께서는 엄마가 자기를 부르는 아기에게 대답하듯 우리들의 기도에 반드시 응답하십니다. 그러나 우리는 때로 하나님께서 우리의 기도에 응답하지 않으셨다고 생각할 때가 있습니다. 그것은 하나님의 응답하시는 방법을 잘 이해하지 못했기 때문입니다. 그렇다면 하나님께서는 우리의 기도에 어떻게 응답하실까요?

첫 번째, 즉시로 응답하십니다. 하나님의 뜻과 나의 기도가 정확히 맞아떨어졌을 때, 그 기도는 지체 없이 응답됩니다. 성경에는 이렇게 응답된 기도가 많습니다. 하나님께 기도했더니 즉시로 홍해가 갈라지기 시작하고, 하나님께 기도했더니 즉시로 심판이 멈춥니다(민 11:2). 이러한 때에 우리는 누구나 하나님의 응답하심을 깨닫고 고백하게 됩니다.

두 번째 가장 적절한 때에 응답하십니다. 아무리 달라고 떼를 써도 세 살배기 어린아이에게 날카로운 칼을 쥐어 줄 수 없듯이 하나님께서는 우리에게 무엇인가 꼭 필요한 것이 있다면 그것을 꼭 필요한 때에 주십니다. 아브라함과 사라에게도 25년 동안의 기다림 후에 아들을 주셨고(창 18:14), 예수님의 제자들도 십자가와 부활을 경험한 후에야 성령을 받았습니다(행 1:4). 하나님께서는 당신의 일을 이루어 가시면서 우리도 온전히 만들어 가십니다. 우리에게 가장 좋은 때에 주시려는 하나님의 계획을 생각한다면 지연된 응답 또한 기도의 응답임을 명심해야 합니다(애 3:26).

세 번째, 바꿔서 응답하십니다. 하나님께서는 우리에게 있어야 할 것이 무엇인지 가장 잘 아시는 분이십니다(마 6:32). 만일 명예 때문에 망할 수 있다면, 그런 이에게는 유명해지는 것 말고 단란한 가정을 주실 수도 있습니다. 심지어 즐겁게 사는 것보다 고난을 받는 것이 필요한 사람이라면 간구하는 즐거움 대신 피하려는 고난을 주실 것입니다. 그래서 믿음의 사람들은 구하지 않던 고난을 받은 후에 오히려 그 고난이 유익이었다고 고백하기도 했습니다(시 119:71). 만일 명품 만년필을 받고도 싸구려 펜을 사주지 않았다고 원망한다면, 그것은 어리석은 일이 아닐 수 없습니다. 만일 하나님께서 기도에 응답하지 않으신 것이 있다면 혹시 바꿔 주신 것이 아닌지 살펴봐야 합니다. 하나님께서 더 좋은 것을 주셨다면 바꿔 주신 것 또한 응답입니다.

하나님의 뜻을 따르는 기도

어떤 사람들은 '기도로 하나님의 보좌를 움직인다.'라고 말하기도 합니다. 그러나 기도는 우리의 욕망을 이루기 위해 하나님의 뜻을 돌리는 것으로 착각해서는 안 됩니다. 하나님은 완전하신 분입니다. 하나님의 뜻과 계획도 완전합니다. 그런 이유로 기도는 하나님의 뜻에 나의 뜻을 조율하는 과정이 되는 경우가 많습니다. 다시 말해서 기도는 가장 좋은 해결책을 찾는 대화인 동시에, 하나님과의 깊은 교제를 통해 하나님의 계획을 벗어나지 않도록 지켜 주는 우리 영혼의 길잡이입니다.

모든 사람에게는 기도가 필요합니다. 기도를 통해 우리는 우리의 인생을 온전히 알게 되고 온전히 걷게 됩니다. 그래서 훌륭한 믿음의 삶을 살았던 사람은 누구나 기도하는 사람이었습니다.

"구하라 그리하면   에게 주실 것이요 찾으라 그리하면 찾아낼 것이요 문을 두드리라 그리하면   에게 열릴 것이니."

마 7:7

"   는 내게 부르짖으라 내가   게 응답하겠고   가 알지 못하는 크고 은밀한 일을   게 보이리라."

렘 33:3

위 말씀의   안에 자신의 이름을 넣어 읽어 봅시다. 오늘 만남을 통해 깨닫게 된 것을 이야기 나누고, 기도의 능력을 체험하기 위해 함께 기도합시다.

10

열 번째 만남

순종하며
섬기는기쁨

행복한 여행 일지							
요절 암송	성경 쓰기와 예습						
마 7:7 렘 33:3							
말씀 묵상	주일	월	화	수	목	금	토

설교 노트

순종하며 섬기는 기쁨

예수님께서는 아버지의 뜻대로 이 땅에 오셔서 가르치셨고(Teaching), 선포(Preaching)하셨으며, 고치셨습니다(Healing). 이 세 가지가 바로 예수님의 사역이었습니다. 아버지께서 일하시므로 예수님께서도 일하셨기에(요 5:17) 우리에게도 사역하기를 바라십니다. 예수님께서 아버지께 순종하여 사역하신 것처럼 우리도 순종하며 주님의 일을 해야 합니다. 그런데 과연 어떤 일을 어떻게 해야 하나님께서도 기뻐하시고 우리도 행복할 수 있을까요? 오늘 이 시간에는 함께 순종하며 섬기는 기쁨에 대해 공부하겠습니다.

질문1 마음에 내키지 않는 일이었지만 하고 나니 기뻤던 일이 있었습니까? 그 일은 무엇이었습니까?

_____

_____

_____

_____

🎈 주님의 뜻에 순종하기

질문2 어떻게 했을 때 순종했다고 할 수 있을까요?(사 1:19; 눅 5:4~11, 17:10; 히 11:8)

_____

_____

_____

_____

_____

_____

_____

우리는 여러 번의 만남을 통해 하나님께서 창조주이신 것과 그리스도가 주님이라는 사실을 배웠습니다. 우리는 이러한 하나님의 권위를 '주권'이라고 부릅니다. 주권이라는 말이 주는 어감이 부담스러울 수 있지만, 사실 하나님의 주권은 지배를 위한 것이 아니라 행복을 위한 것입니다.

어머니의 품 안에 있을 때, 아이들은 행복합니다. 아버지의 집에 머무는 것이 가출하여 배회하는 것보다 행복한 법입니다. 하나님 아버지의 품 안에 그분의 보호하심 아래 있을 때 우리는 진정으로 행복할 수 있습니다. 그래서 〈시편〉의 시인들은 하나님의 날개 그늘에 머물기를 소원하며 노래했습니다(시 17:8, 36:7, 57:1, 63:7). 하나님의 날개 그늘에 머무는 것, 그것은 하나님의 다스리심 아래 순종하며 사는 삶을 의미합니다. 바다에 사는 물고기가 바닷물이 거추장스럽고 부담스럽다고 해서 육지에 올라가 살 수 없는 것처럼 하나님의 피조물 된 우리도 하나님의 주권 아래 있을 때 비로소 참된 삶을 누릴 수 있습니다. 하나님에게 있는 주권은 우리를 굴복시켜 괴롭게 지배하려는 권리가 아니라 우리를 사랑하셔서 행복하게 살게 하시려는 배려입니다. 그러므로 〈이사야서〉 말씀처럼 순종은 즐겁게 해야 합니다. 베드로처럼 지체 없이 순종해야 합니다. 예수님 말씀에 등장하는 종처럼 당연히 순종해야 합니다. 아브라함처럼 지금 당장 눈에 보이는 결과가 없더라도 순종해야 합니다. 하나님께서는 당신을 깊이 신뢰하기에 당연하고도 즐겁게, 즉시로, 온전히, 100% 순종하는 사람들에게 땅의 아름다운 소산을 먹게 하셔서 만족하고 행복한 인생을 살도록 준비해 두셨습니다.

하나님의 사람들은 하나님의 일을 합니다. 하나님께서 원하시는 일에 대해 깨닫게 되었을 때, 즉시 실행에 옮겨 기쁨으로 일하는 사람들을 하나님께서는 찾으십니다. 그런 사람들을 찾으셔서 그들을 통해 하나님의 일을 하십니다. 하나님께서는 무엇이든지 당신의 사람들을 통해서 일하시기를 좋아하십니다. 하나님께서 "내가 누구를 보내며, 누가 나를 위해 갈까?"하고 부르실 때 이사야처럼 "주님 제가 여기 있습니다. 저를 보내소서!"(사 6:8)라고 대답할 수 있는 믿음이 우리에게 있어야 합니다.

🎈 성숙한 신앙

질문3 하나님께서 우리에게 기대하시는 것은 무엇입니까?(창 17:1 ; 신 18:13 ; 골 1:28)

어린 아기는 부모가 모든 일을 대신해 줍니다. 그러나 자라면서 스스로 일하기 시작합니다. 어른이 되어 어떤 일의 전문가가 되면 스스로의 동기를 가지고 일하게 됩니다. 신앙생활도 마찬가지입니다. 어느 단계까지는 예배를 통해 양분을 얻고 기본적인 교육과 훈련을 통해 양육을 받아 신앙이 성장합니다. 그러나 어떤 단계에 이르면 신앙생활에도 '전문성'이 필요하게 됩니다. 이 '신앙의 전문성'을 다른 말로 하면 '성숙한 신앙'이라고 할 수 있습니다.

사도 바울은 갈라디아교인들에게 사랑으로 서로 종노릇하라고 가르칩니다(갈 5:13). 이 가르침은 권유나 선택이 아닌 명령입니다. 하나님께서 믿는 사람들에게 명령하시는 것은 '완전함'인데 완전함을 가리키는 히브리어 '타밈(!ymiT;)'과 희랍어 '텔레이오스(tevleio")'는 '온전함' 즉, '성숙함'을 뜻합니다. 하나님께서는 우리에게 성숙함을 기대하시는데, 이 성숙함은 섬김과 봉사를 통해서 얻어지는 것이기 때문에 사도 바울은 "사랑의 마음으로 섬기는 사람들이 되라."고 힘주어 명령하고 있는 것입니다. 성숙한 신앙을 위해서는 섬김과 봉사 즉, 사역이 필요합니다.

은사와 섬김

질문4 하나님께서 영광을 받으시는 헌신은 무엇입니까?(롬 12:3~8; 벧전 4:11)

_____

_____

_____

어느 날 갑자기 목사님이나 신앙의 선배에게 "봉사하세요."라는 말을 들으면 우리는 많이 당황하게 됩니다. 당황하는 이유 중 하나는 무엇을 할지, 어떻게 해야 할지 모르기 때문입니다. 하나님의 일은 특별한 누군가만 하는 일이라는 생각이 들거나, 자신은 준비되지 않았다고 생각합니다. 어떤 경우에는 선불리 사역에 뛰어들었다가 상처를 입기도 합니다. 그러다 보니 교회 안에서 사역을 해야 한다는 생각보다는 사역을 기피하려는 분위기가 만들어집니다. 하나님의 사람들은 하나님의 일을 해야 한다고 하는데, 우리는 왜 사역을 하는 게 이렇게 힘들까요? 그 이유는 은사를 따라 일하지 않기 때문입니다.

하나님께서는 우리 모두에게 은사를 주셨습니다. 은사는 하나님의 사역에 필요를 따라 주시는 것이며 때로는 우리에게 강권적으로 다가오기도 하고 기쁨과 자원함으로 찾아오기도 합니다. 그래서 하나님께서 내게 주신 은사를 아는 것은 매우 중요합니다.

하나님께서는 하나님의 일을 하시기 위해 우리에게 각각의 은사를 맡기셨습니다. 그러므로 우리는 주님의 부르심을 받아 각각의 기술을 사용해 하나님 나라를 세우는 일꾼들입니다. 성경에는 그러한 예들이 아주 많습니다. 이스라엘의 출애굽을 생각해 봅시다. 하나님께서는 모세를 리더로 세우셨지만, 말이 어눌한 그를 위해 그의 형 아론을 대변인으로 세우십니다(출 7:1). 게다가 모세에게 좋은 참모인 여호수아를 두셔서 그를 도울 뿐만 아니라 대신 전쟁을 치르게도 하십니다(출 17:10). 모세의 옆에서 그의 팔을 들어 중보했던 훌(출 17:12), 공동체의 제도를 정비하기 위해 보내셨던 장인 이드로(출 18:24~26), 선지자의 역할을 감당했던 누나 미리암(출 15:20), 제사장들, 천부장들과 백부장들, 성막을 지었던 브살렐과 오홀리압(출 36:2) 등 수많은 사람들이 자신의 은사를 따라 사역하였습니다.

예수님께서 이 땅에 계시는 동안 열두 명의 제자를 세우는 데 집중하셨습니다. 이는 예수님께서 제자들에게 하나님 나라의 확장을 맡기셨다는 것을 의미합니다. 그들이 자격이 있어서가 아니라 예수님이 그들을 제자로 세우셨고, 성령을 보내셔서 그들과 함께하실 것이기 때문에 그들에게 예수님의 사역을 수행하도록 하신 것입니다.

우리가 은사를 받았다는 것은 그리스도의 사역 중 일부가 우리에게 나누어져 있다는 것을 의미합니다. 그리고 그 사역을 감당하도록 능력과 권세도 주셨습니다. 자신에게 주어진 은사를 따라 사역하는 사람들은 억지로 하지 않고 즐겁게 사역을 감당할 수 있습니다. 왜냐하면 하나님께서 말씀하시는 만큼, 능력 주시는 만큼 사역하기 때문입니다. 우리가 사역을 하다가 어려움을 겪는 경우는 대부분 하나님께서 주신 은사를 따라 하지 않거나 혹은 하나님께서 주신 은사를 넘어서 자신의 의를 따라 사역하기 때문입니다. 하나님 앞에는 주신 은사를 사용하지 않는 것도 불순종이지만, 은사를 넘어서 자신의 의를 따라 일하는 것도 불순종입니다.

사역하며 완성되는 신앙

하나님께서는 자신의 일을 하시면서 자신의 사람도 함께 만들어 가십니다. 우리가 사역할 때, 하나님 나라가 조금씩 완성되어 가지만 동시에 우리의 믿음도 조금씩 성숙해 갑니다. 하나님 나라는 우리 안에 있는 나라이기에, 큰 그릇 안에 많은 물이 담기는 것과 같이, 성숙한 우리 안에 더욱 하나님 나라가 굳게 섭니다. 그러므로 우리가 주님 앞에 순종하며 사역할 때, 우리 안에 천국은 커져만 가고, 우리는 더욱 행복한 하나님의 자녀들로 성장하게 됩니다.

"   는 사도들과 선지자들의 터 위에 세우심

을 입은 자라 그리스도 예수께서 친히 모퉁잇돌이 되셨느니라 그

의 안에서 건물마다 서로 연결하여 주 안에서 성전이 되어 가고

                    도 성령 안에서 하나님이 거하실 처소가 되

기 위하여 예수 안에서 함께 지어져 가느니라."

엡 2:20~22

위 말씀의   안에 자신의 이름을 넣어 읽어 봅시다. 오늘 만남을 통해
깨닫게 된 것을 이야기 나누고, 주님께 순종하는 성숙한 신앙인이 되기 위해 함
께 기도합시다.

부록

HappyTrip

양육자 길잡이

1. 양육은 교육이 아니라 말씀을 바탕으로 한 삶의 나눔입니다. 그러므로 안내자는 가르치는 교사가 아니라 섬기는 동반자가 되어야 합니다. 일대일 양육 《행복한 여행》은 안내자와 여행자에게 동일한 은혜의 시간입니다. 안내자는 늘 이 사실을 잊어서는 안 됩니다.

2. 《행복한 여행》은 전체 시간이 12주를 넘지 않도록 유의해야 합니다. 서로에게 피치 못할 사정이 있어 양육이 지연될 경우 반드시 행정팀에 연락하고 조정을 받아야 합니다. 양육이 너무 오래 지연되면 서로에게 은혜가 되기보다는 부담이 되기 때문입니다. 안내자는 시간을 엄수하고 여행자에게 맞춰 주며 되도록 전체 양육 시간인 10주에 맞춰 양육을 마치는 것이 바람직합니다.

3. 안내자는 양육 전에 반드시 시작 보고서, 과제 점검표, 결과 보고서, 간증문 등의 필요한 양식들을 준비해야 합니다. 시작 보고서는 양육 첫날 행정팀에 제출하고, 양육 마지막 날에는 결과 보고서, 과제 점검표, 간증문을 꼭 제출하도록 합니다. 원활한 양육과 수료식에서 여행자가 받을지 모르는 상처들을 최소화하기 위해서입니다.

4. 양육 시간은 일주일에 한 번 여행자가 가장 편안한 시간에 맞춰 주어야 합니다. 안내자에게는 이미 지나 온 과정이지만 여행자에게는 신앙의 마지막 기회일 수도 있기 때문입니다.

5. 양육 첫 만남 시, 《행복한 여행》 책과 묵상집을 선물하고, 여행자가 '반갑습니다'를 통해 자신을 거짓 없이 소개할 수 있도록 안내자가 먼저 자기소개를 진심으로 해야 합니다. 두 사람의 신뢰 관계가 양육에 가장 큰 영향을 미치기 때문입니다.

6. 각 과의 예습, 말씀 묵상, 설교 노트, 성구 암송 등은 여행자에게만 부과되는 과제가 아닙니다. 안내자도 똑같이 과제를 해야만 진정한 의미의 양육이 될 수 있습니다. 일대일 양육은 내용을 가르치는 교육이 아니라 신앙의 삶을 살게 하는 멘토링임을 잊지 말아야 합니다.

7. 안내자는 예습에 대해 다음과 같이 여행자에게 각 과의 예습 시 "모든 성경구절을 찾아 오른쪽 노트에 모두 기입하도록" 권고해야 합니다. 설명 중에 나오는 성경구절도 중복되는 사항이 아니라면 반드시 손으로 기록할 수 있도록 권면합니다.

8. 안내자는 여행자가 말씀 묵상을 할 때, "묵상 노트를 따로 마련하여 묵상 내용을 직접 기록하도록" 권면합니다. 그래야 묵상의 내용이 오래 남기 때문입니다.

9. 양육은 '기도→ 한 주의 삶 나눔 → 숙제 점검(예습, 암송, 묵상) →묵상 나눔 → 교재 읽고 문제 풀기 → 요점 정리 → 숙제와 다음 만남 안내 → 기도 제목 나누기 →중보기도 후 마침 기도'의 순서대로 진행합니다.

10. 양육하는 과정에서 비용이 발생하는 경우 가급적 안내자가 부담하도록 합니다(간식, 식사, 교재 구입 등).

11. 안내자는 양육 기간 동안 만남 2~3일 전 꼭 전화 심방을 하도록 합니다.

12. 양육 마지막 날, 여행자에게 수료식 안내를 하도록 합니다. 결과 보고서 미제출 시, 여행자가 수료자 명단에서 제외될 수도 있으니 수료식을 잘 챙겨 주어 상처받지 않도록 배려합니다.

13. 수료 시 여행자 선물은 반드시 준비하되 다른 안내자들과 형평성에 어긋나지 않도록 최소한으로 준비합니다.

14. 수료 후 안내자반에 대해 안내하고 양육받은 그 마음으로 안내자 과정을 바로 시작할 수 있도록 격려합니다.

15. 양육이 끝난 후에도 안내자는 평생 여행자의 안내자로 남게 됨을 기억하고 함께 동반자와 동역자의 관계를 유지해야 합니다.

16. 좋은 양육을 위해서는 안내자가 먼저 마음을 열어야 합니다. 안내자가 마음을 열지 않으면 여행자도 마음을 열지 않기 때문입니다. 안내자는 무엇보다 여행자에게 진실해야 합니다. 안내자가 자신을 더 낫게 보여 자기 영향력을 미치려고 하면 좋은 양육은 기대하기 어렵습니다. 또한 억지로 마음을 열도록 해서는 안 됩니다. 여행자가 스스로 내놓지 않는 개인적인 문제를 억지로 내놓게 하려 하거나, 개인적인 문제를 이야기하도록 여행자에게 부담을 주어서는 안 됩니다. 성령님께서 양육하는 과정 가운데 자연스럽게 마음을 열어 주실 것입니다. 양육은 신앙의 기본을 위한 것이지 마음의 치유를 위한 것은 아닙니다. 간혹 양육을 통해 마음의 치유가 일어나기도 하지만, 이는 하나님께서 하시는 일이므로 안내자는 오직 여행자가 하나님을 만나는 통로로서의 역할에 충실해야 합니다.

17. 양육을 통해 나눈 이야기들은 본인의 동의 없이 타인에게 전달되어서는 안 됩니다. 양육 시 나누는 이야기들은 지극히 개인적인 것들이 많습니다. 이러한 개인적인 사항들은 반드시 비밀이 지켜져야 합니다. 비밀이 지켜지지 않을 경우 여행자가 큰 상처를 입을 수 있기 때문입니다. 또한 여행자가 동의하였더라도 안내자가 판단하기에 문제의 여지가 있다면,

타인에게 간증하지 않도록 권면해야 합니다. 나중에 생길 수 있는 상처로부터 안내자는 양육자를 주의 깊게 보호해야 합니다.

18. 양육의 거리를 잘 지켜야 합니다. '사랑으로 품어 준다.'는 말은 참 좋은 말입니다. 하지만 여행자에게 있는 문제를 그냥 덮어 두는 것이 사랑으로 품는 것은 아니라는 사실을 잘 기억해야 합니다. 그러므로 안내자는 여행자와 적당한 거리에서 객관적으로 여행자를 볼 필요가 있습니다. 여행자의 죄와 관련된 문제에는 단호하게 권면할 수 있어야 하며, 여행자가 지나치게 안내자를 의존하게 되는 것도 막아야 합니다. 양육은 주 1회 만남을 원칙으로 하며, 양육하는 동안에는 여행자와의 다른 개인적인 만남을 삼가야 합니다. 혹, 여행자가 양육 시간 이외의 상담이나 만남을 요구할 경우 이유의 경중을 가려 부담되지 않는 선에서 해야 하며, 안내자의 역량을 넘어선 상담 및 치유 등은 상담 전문가나 적절한 기관에 맡겨야 합니다.

양육 신청을 위한 조건

일대일 양육을 위해서는 교역자와 양육자들로 구성된 행정팀이 꼭 필요합니다. 이 행정팀을 통해 양육 연결과 양육 관리가 이루어질 때, 양육의 질이 높아지기 때문입니다. 행정팀을 구성하여 양육 신청을 받고 양육자를 연결할 때는 다음의 사항에 유의해야 합니다.

1. 신청부터 수료까지의 모든 과정은 사무실에 비치된 양식에 기록, 제출함으로써 진행되는 것을 원칙으로 합니다. 요즘은 이단들이나 건강하지 못한 단체들이 많아 모든 양육 과정은 교회의 세심한 관리가 필요합니다.

2. 신청은 꼭 본인 의사에 의해, 본인 자필로 신청하도록 합니다. 본인의 의사가 확실하지 않은 상태에서 타인이 대신 신청하거나 타인의 권유로 신청할 경우, 지연되거나 취소될 수 있으므로 여행자가 신청서를 작성하도록 하는 것이 좋습니다.

3. 양육 신청 시 안내자가 여행자를 지정하거나 여행자가 안내자를 지정하지 않도록 하는 것이 좋습니다. 이로 인해 양육팀 안에 편을 가르거나 서열이 생겨 건강하지 않은 방향으로 흐를 수 있기 때문입니다. 부작용을 최소화하기 위해 안내자와 여행자는 주님 안에서 동등한 동반자임을 지속적으로 주지시키는 것이 좋습니다.

4. 모든 안내자는 1인 1회 1양육을 원칙으로 합니다. 안내자가 여러 여행자를 양육한다거나

그룹으로 양육할 경우, 혹은 안내자가 수시로 바뀔 경우에는 여행자가 충분한 돌봄을 받지 못하여 양육의 효과가 전혀 없기 때문입니다.

5. 수료식은 안내자와 여행자가 꼭 함께 참석하도록 행정팀에서 한 번 더 공지하고, 여행자의 간증문을 준비하여 양육을 받는 동안 깨달았던 은혜들을 다시 되새기도록 점검해 주어야 합니다. 또한 안내자가 여행자를 위해 수료 선물을 준비하게 하되 형평성에 어긋나지 않도록 모든 안내자가 비슷한 수준의 선물을 준비하도록 균형을 잡아 주어야 합니다. 충분한 준비가 없는 수료식은 오히려 여행자들에게 상처를 줄 수 있습니다.

6. 안내자를 위한 여러 가지 원칙들이 있음에도 불구하고 불가피하게 원칙을 따르지 못하는 경우가 생긴다면 반드시 행정팀과 상의하여 결정하도록 해야 합니다. 항상 예외적인 상황이 발생할 수는 있으나 안내자들이 임의대로 결정하도록 하지 말고 담당 목회자와 행정팀이 조정해 주어야 합니다.